DISCOURS D'UN ARBRE
SUR LA FRAGILITÉ
DES HOMMES

D1379786

OLIVIER BLEYS

DISCOURS D'UN ARBRE SUR LA FRAGILITÉ DES HOMMES

roman

ALBIN MICHEL

« Puissiez-vous vivre des temps intéressants. »

Vieille malédiction chinoise.

Le conte
des racines cajoleuses

Il faut l'abattre

De l'histoire qui va suivre, un arbre a été témoin. Cet arbre s'élevait, il y a peu encore, dans un quartier populaire de Shenyang, province de Liaoning, au nord-est de la Chine. Depuis la rue, on apercevait sa cime ou, pour mieux dire, le sommet de son déploiement : quelques branches hagardes, au bout jauni comme des ongles de fumeur.

Il fallait escalader un mur pour voir l'arbre en entier. Alors, s'exposait la créature la plus misérable du règne végétal, grise et avachie, comparable aux buissons qui rampent le long des autoroutes. Les branches hautes avaient perdu leur feuillage, et rappelaient les phalanges d'un squelette. Les branches basses sortaient du tronc comme s'exprime le jus d'un fruit blet, dans un épanchement de mousse et de bois noir. Seuls, ici, un lampion en carton, vestige d'un lointain nouvel an ; là, un disque laser pendu dans la ramure contre les oiseaux, insufflaient un peu d'âme à cette nature morte.

L'arbre portait un nom savant : *Rhus Verniciflua*. Et d'autres, communs : *arbre à laque, sumac au vernis, sumac d'Extrême-Orient*. Mais les gens du quartier l'appelaient familièrement « l'arbre qui pleure », la coutume étant fixée depuis des millénaires d'inciser son bois pour épancher la sève – une sève qui, au terme de mélanges et de patientes cuissons, pouvait s'étaler sur des meubles et recueillir à leur surface le reflet arrondi de la lune.

Le sumac était vieux. Quel pouvait être son âge ? On l'ignorait, mais un boulier à sept tiges n'aurait pas eu assez de grains pour compter ses années. Madame Cui, la doyenne de la famille Zhang, parlait de l'arbre comme d'un aîné vénérable. Elle prétendait qu'un ancêtre en avait tiré une bonne laque pour enrober les baguettes d'un mandarin influent. Sans doute, cet arbre avait mêlé ses branches à tous les drames du dernier siècle, et ses racines aux restes de maints villageois ensevelis alentour. L'écorce portait les cicatrices des baïonnettes qu'avaient aiguisées dessus, cent ans auparavant, aussi bien les fantassins chinois que leurs ennemis japonais. On y lisait les traces d'incendies ou d'inondations du passé, des souvenirs de fêtes et d'exécutions capitales, tandis qu'affleuraient ici et là, à peine lisibles, des caractères sculptés au couteau : peut-être les prénoms d'amoureux disparus.

À cet arbre s'attachaient autant de souvenirs que de feuilles et, comme les feuilles séchaient et tombaient, s'éparpillait aussi sa mémoire balayée par le vent. Cependant, l'arbre n'avait plus pour les hommes la moindre utilité. Des années qu'on n'avait pas entaillé le tronc pour recueillir la sève, sale et épaissie, pareille à une huile de vidange. Depuis longtemps, non plus, on n'avait récolté les bourgeons qui suintaient un poison efficace contre les vers, ni allumé de feu avec le bois gorgé d'eau.

Était-ce encore un arbre ? Au seuil empierré de la maison des Zhang, sa silhouette évoquait plutôt l'une de ces pompes à bras qui ne servent plus et qu'on laisse rouiller dans les cours de ferme, par paresse de les déboulonner.

« Il faut l'abattre ! » décrétait Wei Zhang, le tranchant d'une main frappant le plat de l'autre.

Le chef de famille disait que le sumac était malade et n'en avait plus pour longtemps. Quand le vent soufflait au travers, l'arbre avait des gémissements de lit d'hôpital. Quand le froid le tourmentait, une humeur sourdait de ses plaies qui éclataient plus nombreuses à chaque hiver. Un jour, sûrement, la tempête faucherait ce vieil ornement de la cour domestique. Qu'adviendrait-il, si l'arbre chutait sur la maison ? Ou, pire, si quelqu'un passant par là le recevait sur la tête ?

« C'est dangereux, il faut l'abattre ! » répétait Wei pour s'endurcir, sa figure barrée de muscles volontaires. Couper l'arbre ferait la place d'un garage à vélos ou d'une remise à charbon ; on manquait d'endroit où stocker l'aliment du poêle.

Wei sortait sa hache et l'affûtait sur une pierre. Comme on dégage la nuque d'un supplicié en taillant son col de chemise, il arrachait des broussailles au pied du sumac pour découvrir l'endroit où frapper. Pourtant, à l'instant d'envoyer sa cognée contre l'arbre, monsieur Zhang sentait faiblir sa main et faner sa résolution. Il pensait à sa femme, Yun, qu'il avait enlacée sous ces branches. Il songeait à sa fille, Meifen, allaitée sur le banc qui s'appuyait au tronc. Sa belle-mère, la vieille Cui, n'avait-elle pas garni bien des lits avec la tombée des feuilles ?

Quant au beau-père de Wei, Hou-Chi (on l'appelait « l'oncle » ou « le grand-oncle Hou-Chi » sans qu'il fût l'oncle de personne), peu lui importait que l'arbre fût couché ou debout ; il n'avait jamais montré plus d'égards au sumac qu'à un poteau de clôture. Il ne s'en récria pas moins contre ce projet d'abattage. Voyant Wei déjà à l'œuvre, la hache prête à frapper, Hou-Chi cingla vertement les mollets de son gendre avec sa canne :

« Écoute-moi, Wei ! J'ai quelque chose à te dire. »

Sans reposer la cognée, Wei l'appuya sur sa cuisse et s'adossa lui-même au tronc grinçant du sumac.

« Si c'est au sujet de l'antenne parabolique, la réponse est : non. Tu regardes bien assez la télé comme ça... »

Hou-Chi passa sa langue sur ses dents, sentit un grain de riz qui gênait. Il l'extirpa avec l'ongle du petit doigt qu'il portait long et aigu, pour jouer du luth prétendait-il – pour se curer les oreilles et autres tâches dégoûtantes, croyait-on plutôt.

«Mais toi, tu t'es acheté un rétroviseur à diodes lumineuses! pouffa Hou-Chi. Pour quoi faire? Tu n'as même pas de voiture.

– C'était une occasion. Le ferrailleur me l'a vendu moitié prix.

– Un rétroviseur!

– Je le monterai sur mon auto, quand j'en aurai une. D'ailleurs, je m'en sers déjà. C'est utile pour se raser.

– Tu comptes acheter une voiture comme ça, pièce à pièce? En commençant par le rétroviseur?»

La contrariété causait des démangeaisons à Wei : tantôt dans le sillon du dos, tantôt au pli de l'aine mais, cette fois, sur sa joue grise qu'il frotta à l'épaule râpeuse de sa veste.

«Fiche le camp, Hou-Chi! Le poste est allumé. Je suis sûr qu'en ce moment, une chaîne ou l'autre diffuse un programme à ton goût.»

Mais Hou-Chi effleura de ses doigts maigrelets le banc du sumac et s'assit là où il sentit l'usure concave de son postérieur, identique à celle qui creusait son coussin devant la télévision. Les poumons du gendre se vidèrent dans une haleine blanche.

«Bon, tu voulais me dire quelque chose? Dépêche-toi. J'en ai pour la journée à tailler les bûches.

– Tu es trop jeune pour avoir appris le chinois comme je l'ai appris, sentencia Hou-Chi. Comment écris-tu notre langue?

– Qu'est-ce que tu racontes?

– Sur du papier! minauda l'oncle en tortillant la main, comme s'il voulait dégager ses doigts empêtrés dans du fil d'araignée. Ou sur l'ordinateur! Avec les caractères simplifiés qu'on t'a enseignés à l'école et qui sont aux caractères traditionnels, si tu veux mon avis, ce que l'étreinte d'une prostituée est à l'enlacement d'une femme honnête!

– Et alors?»

Le grand-oncle tapota la coque de son sonotone. Sa modeste pension n'avait pas permis au retraité de s'équiper comme il faut, avec un audiophone de dernière génération. Il devait se contenter de cet appareil rustique, ficelé à son pavillon par un élastique de chaussette, qui rappelait une palourde ventousée à son rocher. Entre autres inconvénients, l'appareil était lourd et pesait sur l'oreille, la cornant risiblement vers l'intérieur.

«Et alors, notre langue a beaucoup pâti de la paresse des calligraphes. Dans ma jeunesse, le caractère qui désignait l'amour était pourvu en son milieu d'un cœur battant. Hélas, ce sinogramme a été simplifié, et il a perdu

16

son cœur! N'est-ce pas très malheureux? Et l'arbre?
Sais-tu comment, aux temps anciens, on écrivait *arbre*?
– Rien à fiche.
– Idiot! Ne perds pas une occasion d'apprendre!»
Hou-Chi utilisa le bout usé de sa canne pour tracer
une forme sur le sol, dans la fine couche de terre et de
débris dont l'automne poivrait certaines régions du
jardin :

«Je ne suis pas un lettré. C'est mon grand-père Li
Ying qui m'a montré ce caractère, oublié de la plupart
des gens. Vois comment il se compose : trois traits s'en-
foncent dans la terre, trois traits s'élancent vers le ciel.
À quoi songe-t-on aussitôt?
– Hou-Chi, assez de devinettes!
– … bien sûr aux branches et aux racines, à l'arbre
qui s'épanouit également au-dessous et au-dessus du
sol! Comprends-tu? Tu veux abattre ce sumac. Tu crois
ainsi nous débarrasser d'un vieil arbre pourri et rongé
par les vers. Mais, en vérité, tu mutiles une plante dont la
moitié subsistera dans les profondeurs de la terre! Es-tu
de ceux qui prêtent une âme à ces créatures muettes?
– Non.
– Moi, oui. Or, quelles pensées peuvent-elles nourrir,
quels desseins peuvent-elles former pour l'homme cruel
qui les ampute de la sorte?»

Wei reniflait, fronçait le nez et les sourcils. Toute sa figure se ramassait dans une petite surface, rouge et congestionnée, comme si l'on avait tiré du milieu du front une ficelle reliant les muscles sous la peau.

« Et puis cet arbre, Wei… cet arbre… Tu sais ce qu'il y a dessous ! »

Le bûcheron eut une mimique exaspérée et demanda avec aigreur :

« Est-ce tout ?

– C'est tout », fit l'oncle en tendant la main.

Wei l'empoigna et, jouant seulement de l'articulation du coude, mit Hou-Chi sur ses pieds. Le banc ne grinça pas. Ce fut comme si s'envolait un papillon posé dessus.

« Nous sommes des gens simples, Wei. Le monde se fait sans nous, et la Terre n'a pas besoin de nos jambes pour tourner ! Vois-tu ces petites fleurs d'un dessin naïf, sur les bassines en plastique dont chacun se sert tous les jours ?

– Non.

– Justement, personne ne les regarde… Sur la cuvette qui sert à ta toilette, un artiste inconnu a peint des pivoines et des anémones. Ces fleurettes sont comme nous, elles appartiennent au décor ! Encore ont-elles de jolies couleurs, des formes gracieuses qui nous font défaut. Les Zhang ne sont pas très malins, mais un arbre pousse dans leur jardin. Lui-même est un arbre très commun. Et tu voudrais le couper ? Honte à toi, jeune homme ! »

Alors, pivotant sur sa canne faite de trois bambous ficelés ensemble par de la bande adhésive, l'oncle s'en fut à travers le jardin, vers le portail d'abord, par habitude à cette heure d'écouter le ramage des pinsons dans une broussaille voisine – vers la maison ensuite, dévié de sa première intention par le babil ensorcelant du téléviseur, alors qu'il passait devant la fenêtre. Il se retourna une dernière fois sur le seuil.

«Tu veux couper l'arbre qui pleure... Méfie-toi qu'un jour, quelqu'un ne s'avise de te trancher la tête! Couic! Bien des gens sont d'avis que nous encombrons la planète et qu'il faudrait, nous aussi, nous débiter en menu bois pour le poêle! À la place de cette maison et de ses habitants, ils pourraient faire un immeuble de bon rapport, couler le goudron d'un parking ou d'une piste d'aéroport... Rappelle-toi, Wei, que les pauvres ne servent à rien! Ils sont au mieux un zéro, au pire un décompte dans la grande addition de l'humanité! Enfin, moi, je m'en fiche. Je suis vieux. J'en aurai bientôt fini avec tout ça...»

Hou-Chi agita sa canne en l'air, comme s'il gaulait des fruits invisibles au-dessus de sa tête. Puis il rentra dans la maison.

«Fossile!» cracha le bûcheron.

Wei aspira l'intérieur de ses joues. Qu'avait-il à s'attendrir? L'hygiène, la simple hygiène commandait de raser le sumac avant que ses maladies contaminent d'autres végétaux. C'était sa conviction et, du reste, les instructions précises du service des espaces verts de la ville de Shenyang, dont l'inspecteur par deux fois les avait contrôlés. Si Wei ne s'en chargeait pas lui-même, un jour ou l'autre les employés municipaux procéderaient à la coupe, aux frais et aux dépens de sa famille.

Monsieur Zhang remuait ces pensées un long moment, à la façon dont la rivière inlassablement brasse les cailloux au fond d'un tourbillon. Tantôt il s'affermissait dans sa première idée, et les muscles, prêts à agir, durcissaient dans ses bras. Tantôt il compatissait au vieux sumac devenu par son âge et sa condition l'émouvante effigie des Zhang, au point, croyait-on, que la distribution de sa ramure établissait la généalogie de la famille : il était facile d'observer qu'un nouveau rejeton s'élançait du tronc chaque fois qu'on fêtait une naissance, tandis qu'une branche séchait et tombait quand mourait l'un des leurs. Cela surtout l'inclinait à sauver l'arbre.

Ayant traversé toutes les humeurs et pris tous les partis, Wei finissait par convenir que non, il n'aurait pas la force de sacrifier le sumac. Alors, la hache pesante qu'il avait brandie longtemps, à la limite de ses forces, puis laissée s'incliner vers le sol, redressée encore, et lâchée presque… cette hache retombait pour de bon. Penaud, monsieur Zhang l'accrochait derrière la porte, parmi tout un bric-à-brac d'outils, et ramassait un paquet de cigarettes dans un tiroir. Il s'asseyait sous le sumac et fumait tranquillement.

«À la bonne heure», commentait l'oncle Hou-Chi assis devant la télévision.

Hou-Chi, auteur de la Révolution

Le grand-oncle Hou-Chi et les arbres : une histoire ancienne. Parmi toutes celles qu'on racontait sur le compte du vieil homme, dont la moitié au moins étaient des fables et dont le reste tombait dans l'exagération, c'était sûrement la plus difficile à croire. Néanmoins, la seule vraie.

Il était vrai que Hou-Chi eût soumis autrefois au Comité central du parti communiste, sur la recommandation d'un cadre local et vague parent, un livre écrit de sa main, «À PROPOS DES ARBRES». Un timbre appliqué au coin du livre portait une date : 1966. Cette année-là, Mao Zedong lançait la Révolution culturelle, la Chine poursuivait les essais de sa bombe atomique tandis que s'ouvrait le chantier du métro de Pékin. Mais, pour la famille Zhang, menant à l'écart de Shenyang une vie discrète et routinière, 1966 portait d'autres souvenirs : en 1966, Fan Zhang avait donné naissance au petit Wei, un nourrisson à la tête plate et à la moue pointue qui lui valurent le surnom provisoire de «tortue-boîte de Pan»; la même année, un train chargé d'aluminium avait déraillé sur la voie ferrée près de la maison et le réservoir Zhu'er, contaminé par un toxique inconnu, s'était couvert de centaines de poissons, non pas extraits un à un par la ruse des pêcheurs mais montés à la surface tous d'un coup, tels de gros raviolis en fin de cuisson.

C'était enfin l'année où le grand-oncle Hou-Chi, à la surprise de tout le monde, s'était épris des arbres qui n'avaient jamais eu pour lui le moindre intérêt, et concomitamment de la politique qu'il traitait jusqu'alors de sale besogne.

«Qu'est-ce qui te prend?» avait réagi mademoiselle Cui, sa jeune fiancée.

Hou-Chi expliqua qu'il projetait d'écrire un livre pour s'attirer les faveurs des communistes. La situation, jugeait-il, appelait ce petit effort d'intégration. Elle justifiait ce modeste écart à ses principes de toujours. On était communiste ou on ne l'était pas, ami ou ennemi ; la neutralité n'était plus permise.

«C'est pour notre bien, tu comprends? plaida encore l'apprenti écrivain.

– Mais un livre… pourquoi un livre ?

– Pour prouver que nous adhérons aux idées nouvelles ! Que nous ne sommes pas politiquement arriérés ! Regarde Jian, ton cousin. Il a rendu service aux gardes rouges en leur prêtant sa mobylette. Depuis, il dispose d'une enseigne toute neuve, la seule du quartier qui soit électrifiée. Son nom a même été cité dans le *Quotidien du peuple*. Un exemple à suivre !

– Tu veux collaborer avec ces gens-là ?

– Un gâteau est servi, taillons notre part ! Ou préfères-

tu regarder les autres s'empiffrer, quand nous picorons les miettes tombées entre leurs bottes ?
– Je préfère les miettes. Les gâteaux trop crémeux font des indigestions.
– Tant pis pour toi ! Il faut bien, de temps à autre, se résoudre à aider les gens malgré eux. »

« À PROPOS DES ARBRES » portait une dédicace à Mao Zedong, « le guide éminent, le grand dirigeant, le chef suprême », lisible sur la première page des fascicules intérieurs et aussi sur le coffret qui les emboîtait, en caractères d'or sur une cotonnade bleu indigo – un hommage de circonstance auquel la brochure, sans doute, devait d'avoir échappé aux rigueurs de la censure et son auteur aux brimades coutumières.

Il ne s'agissait pas, comme son titre le suggérait, d'un traité d'horticulture, non plus d'un recueil de poèmes d'inspiration végétale. « À PROPOS DES ARBRES » s'apparentait plutôt à un essai de philosophie, si méritait ce nom la compilation de pensées, de maximes, de notes éparses qui formaient le fond de l'ouvrage. Le grand-oncle y exposait des théories toutes personnelles sur la nature des arbres qu'il avait, déclarait-il, « longuement fréquentés et mûrement étudiés » autour de lui.

En ces temps reculés, le quartier Xisanjiazi, l'un des plus excentriques de Shenyang, tenait encore de la campagne voisine. On y voyait des fermes et des champs labourés, des animaux en liberté qui paissaient au milieu des maisons. Surtout, à chaque coin de rue, foisonnaient des arbres en pleine santé, rescapés d'une forêt qui certes avait reculé mais gardait de beaux restes et, au loin, soulignait toujours l'horizon d'une frise olivâtre. De vastes friches plantées d'érables et de mûriers faisaient pendant aux habitations. De cet éden, ne subsisteraient trente ans plus tard que des bouts de jardins, taillés toujours plus ras pour faire la place aux voitures, puis, après qu'on eut bitumé le sol, un seul arbre vivant, le dernier à des kilomètres à la ronde : le vieux sumac dans la cour des Zhang.

Que contenait au juste «À PROPOS DES ARBRES»? L'auteur lui-même peinait à en donner un résumé. Quelques idées perçaient ici et là : les arbres tenaient le monde, au sens propre; c'était par leurs racines, étendues loin sous la terre dans toutes les directions, se tressant solidement par la pointe, que la terre adhérait à la roche du sous-sol au lieu de s'émietter dans l'espace; chaque fois qu'on arrachait un arbre, on déchirait une maille de ce filet où le monde était pris, etc.

À vrai dire, personne n'y comprenait grand-chose, ce qui n'empêchait pas Hou-Chi de clamer partout qu'il avait créé un chef-d'œuvre au profit des lecteurs de tous âges. Il se défendait d'avoir écrit de la littérature, vaine occupation d'esprits ramollis. Son travail était d'un ordre plus pratique. Plein de «considérations utiles à la Révolution», ce livre portait l'espoir d'«enrôler les arbres, nos compagnons de sève et de bois, dans la lutte solidaire pour la construction du socialisme et l'avènement du monde nouveau».

À tout le moins, le Comité central du parti communiste manifesta de la curiosité pour ce projet hors ligne. On préposa une jeune recrue, un garde rouge de dix-sept ans prénommé Tao, à la lecture exhaustive du document. Il s'exécuta de bon matin, dans la cour de la ferme familiale, au milieu des poules et des dindons qui picoraient le blé entre ses orteils. Fils d'un bouvier peu instruit, Tao savait à peine les caractères. Déchiffrer le titre fut pénible. S'acquitter des premières colonnes lui causa de vives douleurs derrière le front. Peu après, Tao referma le fascicule d'une geste agacé. Il n'y avait rien là-dedans qui pût contribuer à l'essor du socialisme, jugea-t-il sévèrement. Le Comité central reçut son rapport, un compte rendu de quelques lignes qui traitait la brochure de «chiffon pour s'éclaircir l'anus» et son auteur de «vil affabulateur, aux idées vomitives et au style plein de glaires».

Hou-Chi fut convoqué à l'antenne locale du parti. On lui fit grief d'aimer les arbres, ces créatures sans intérêt tout juste bonnes à chauffer les maisons. Il s'en défendit avec fougue. Les arbres étaient laids, archaïques et mauvais, cingla-t-il. Ils méritaient d'être ajoutés aux *quatre vieilleries* combattues par la Révolution : les vieilles idées, la vieille culture, les vieilles coutumes, les vieilles habitudes.

Et les vieux arbres, donc.

« Qu'on les arrache ! Qu'on les coupe sur pied ! »
s'emporta l'oncle, suscitant quelques applaudissements
dans l'auditoire.

« Tu n'aimes pas les arbres, alors ?

– Je les hais.

– Tu veux les détruire ?

– Tous. Je n'en laisserai aucun debout ! »

Devant les cadres du parti, Hou-Chi s'engagea à
piétiner n'importe quelle pousse qui surgirait entre
les pavés de Shenyang. Rien n'offensait plus la vue du
Révolutionnaire que ces tiges rabougries rompant le bel
alignement des pierres dans les rues. Rien n'aigrissait
plus son humeur que l'invasion des mauvaises herbes,
fertiles et vénéneuses comme sont les mauvaises gens.

« Et l'arbre dans ta cour, vas-tu l'abattre aussi ? vérifia
l'un des enquêteurs, au museau étiré de brochet.

– Aujourd'hui même !

– Qu'attends-tu ?

– J'y cours ! »

Il n'en fit rien. Hou-Chi cassa deux ou trois branches,
qu'il aurait sciées de toute façon à l'automne, et, pour
le reste, laissa le temps délier sa promesse. Le comité
local du parti fut dissous, refondé, dissous une nouvelle
fois, suspendu longtemps aux fins d'enquête. L'année
suivant son interrogatoire, les neuf cadres qui avaient
reçu sa déposition tombèrent les uns après les autres,
victimes de purges exaltées. En ces temps remuants, on
avait mieux à faire qu'à couper du bois, quand tant de

têtes humaines étaient jugées dépassantes. Le sacrifice d'un vieux sumac n'était pas une priorité pour la Révolution.

L'épouse et la fille de Hou-Chi avaient entendu mille fois ce récit, que le grand-oncle concluait toujours de la même façon :

«Dans ma jeunesse, on a ôté des briques à la Grande Muraille pour construire des porcheries ! Mais notre arbre, lui, a été sauvé... Par bonheur, son bois n'aura pas servi à faire les latrines du président Mao ! Ah, ah, ah !»

Quatre pieds sous terre

En vérité, les Zhang vouaient au sumac, planté depuis toujours au seuil de la maison, un attachement très tendre.

Bien sûr, c'était pour eux un compagnon, sentinelle immuable du petit clos que l'arbre avait vu terrasser et paver, de même qu'il avait vu s'élever sur la terre primitive les murs de l'habitation – peut-être, fabulait Hou-Chi, le soleil juste éclos avait-il roulé dans ses branches, au commencement des temps.

Bien sûr, leurs doigts savaient par cœur le gaufré de son écorce, qu'ils effleuraient par superstition en entrant dans la cour (deux sillons clairs s'étaient ainsi creusés dans le bois, à hauteur d'homme et d'enfant).

Maintes fois aussi leurs poignets les avaient démangés à cause des feuilles urticantes, leur peau s'était couverte de petites cloques qui suintaient une humeur claire. L'âme humaine se complaît dans le décor du premier âge ; tous les Zhang avaient grandi dans l'ombre chiche et l'odeur vinaigrée de « l'arbre qui pleure ».

Mais il y avait davantage pour expliquer leur dévotion. Des années auparavant, Bao, le père de Wei, et Fang, sa mère, avaient perdu la vie ensemble, couchés dans un champ. Le pré s'étalait à une trentaine de kilomètres de Shenyang, au pied des montagnes. Près d'une rivière, en contrebas d'une voie ferrée, poussait un vieux tilleul flanqué d'un rocher. On venait de loin visiter cet arbre vénérable et goûter sa verdure, aux heures chaudes de la journée. Certains pique-niquaient ou buvaient le thé, battant d'une main molle les cartes à jouer. Les promeneurs s'assoupissaient, une veste roulée sous leur nuque en guise d'oreiller. Le passage des trains, trois ou quatre à l'heure, ne les dérangeait pas.

L'ombre du tilleul était dense et profuse, par la vertu disait-on d'une source cachée qu'il était seul à boire. En revanche, le calme sous son feuillage n'avait jamais reçu d'explication. S'y réfugier, c'était comme passer un rideau de silence. Les bruits du monde s'amenuisaient en chuchotis, jusqu'aux plus rudes qui s'adoucissaient étrangement, tels de vieux meubles dont les frottements ont émoussé les angles. Il en allait ainsi des pétarades de motoculteurs, du brimbalement lourdaud des trains.

C'est là, entre les racines verdies du vieil arbre, que Bao et Fang avaient trouvé la mort. Retirés depuis, leurs corps avaient laissé leur forme dans l'herbe longue. Le couple s'enlaçait si étroitement, dans ses derniers moments, qu'on aurait dit l'empreinte d'un seul être. Des policiers avaient suivi ses contours à la bombe fluorescente, comme un lasso de couleur tombé sur le gazon. La ligne chevauchait les racines, rayait une motte, longeait un parterre de dents-de-lion et décrivait ensuite un croissant évasif, avant de boucler sur elle-même. Un escargot lui devait des mouchetures sur sa coquille. La peinture jaune se voyait de loin ; elle subsisterait longtemps sous les intempéries avant qu'une averse plus violente, dégradant les pigments, n'émiettât le tracé en paillettes d'or sale.

Sans cette marque apposée au sol, prémices d'une enquête vite délaissée car le coupable était connu et les victimes quelconques, sans cette marque, donc, personne n'aurait su qu'un drame s'était joué dans ce pré. La nature n'en donnait aucun signe. Même herbe que partout, mêmes fleurs, mêmes va-et-vient d'insectes tantôt volant tantôt trottant au sol.

Des chroniques rapportent qu'à la mort de Bouddha un nuage de santal semé de fleurs célestes avait enveloppé la terre, une exquise musique s'était diffusée dans l'atmosphère. Rien de tel pour Bao et Fang. Quand s'était produit l'accident, l'ordre du monde n'avait pas été dérangé. Le soleil ne s'était pas voilé, le tonnerre n'avait pas retenti, l'eau de la rivière bouillonnait comme toujours. Les humbles moucherons, moindres sujets de la faune prairiale, avaient vaqué à leurs affaires sans se troubler.

En un sens, c'était vexant de rendre l'âme sans recueillir l'hommage au moins des fourmis. Ni Bao ni Fang, il est vrai, n'avaient compté d'ancêtre remarquable. Ils n'avaient pas non plus engendré de descendance signifiante. On était coutumier, dans la famille, de vivre anonymes pour mourir ignorés.

Qui avait tué les parents de Wei? Ce fut facile à établir. Les décès étaient conjoints ou survenus à peu d'intervalle, calcula la police. Un peu au-dessus du col de chemise de Bao, un peu au-dessous du collier de Fang en perles de plastique, une morsure de serpent était visible, nette et ponctuelle, sans effusion de sang. La peau très blanche et dure, là où les crochets avaient percé, devenait rouge et molle à l'entour. Un anneau bleu délimitait la région, cerné par d'autres verdâtres, plus clairs à mesure qu'on s'éloignait des plaies. C'était tout un prisme, un sinistre arc-en-ciel, que le serpent avait tatoué sur l'épiderme des défunts.

Vipère des bambous ou cobra noir ou bungare annelé, le serpent n'avait pas été capturé. Son venin devait être redoutable puisque, inoculé deux fois, il avait fait deux morts. Peut-être s'agissait-il d'une «vipère des cent pas», ainsi dénommée parce que ses victimes marchent cent pas avant de s'écrouler. Mais Bao et

Fang s'étaient-ils relevés, avaient-ils cherché à fuir ? Tout portait plutôt à croire que la mort les avait frappés endormis. Du sommeil, le couple avait sombré dans le néant sans rouvrir une paupière.

«Ce devait être un reptile très délicat, apprécia Hou-Chi. Il a planté ses crochets dans l'artère du cou sans qu'ils reprennent conscience !

– Tais-toi ! s'indigna madame Cui. Ce ne sont pas des paroles convenables !

– Qu'est-ce qui est convenable ? De laisser les vieillards macérer dans un lit, en attendant que la mort les délivre des docteurs et des médicaments ? Très peu pour moi ! Je préfère succomber au feu du poison dans mes veines ! Une seule piqûre, au lieu de cent à l'hôpital !»

Longtemps après, Hou-Chi citait la mort de Bao et de Fang en exemple. Il n'en parlait jamais avec chagrin mais louait au contraire l'attaque du reptile, sa concision et sa sobriété, de même qu'on vante la touche d'un peintre renommé ou l'adresse d'un archer qui a planté sa flèche au centre de la cible. Dans les compliments de l'oncle perçait une pointe d'envie car, reconnaissait-il, c'est ainsi qu'il aurait voulu quitter le monde : sans souffrance ni connaissance, lâchant la vie comme le promeneur distrait dévie de son chemin. Son épouse abhorrait cette idée. Des gens craignent de partir en voyage sans avoir fait leur valise et leurs adieux au voisinage.

Le décès de Bao et Fang avait pris Wei au dépourvu.

Il revenait au fils d'organiser les obsèques, mais le fils n'avait pris aucune disposition. Hélas ! Pouvait-il s'y attendre ? Wei n'avait jamais considéré la disparition de ses parents et, si l'on avait pris son avis, il aurait répondu : « Peut-être… oui… un jour… c'est bien possible. »

En dépit des années, Bao et Fang continuaient d'afficher une santé robuste, et beaucoup d'allant. La veille de sa mort, Bao avait cassé une dure noix de cajou à mains nues, sans recourir au moindre ustensile. Il passait aussi pour digérer comme les autruches, en agrémentant de cailloux ses portions de pâte de soja. Fang avait un sourire complet, plutôt d'ailleurs une collection de pétales qu'une rangée de dents. Tant d'années à mâchouiller la canne à sucre n'avait pu ternir cette florissante bannière de jeunesse et de vie.

Aussi est-ce l'étonnement le plus pur, teinté d'un certain désarroi, qui s'était peint sur la physionomie de Wei quand la police du district s'était présentée à la porte de leur petite maison. Monsieur Zhang se rappellerait toujours l'accent bizarre de la sonnette, son timbre un peu faux, comme d'une voix humaine troublée par l'émotion dont les mots se chevauchent. Pour le reste, c'était un jour comme les autres, un mardi ou un mercredi, au ventre mou de la semaine, un des rares feuillets du calendrier que ne rehaussât pas une fête quelconque. Le ciel était bleu, hachuré au loin de gaz d'échappement.

« Vous dites que mes parents sont morts ?
– Oui, monsieur ! confirma l'un des policiers.

– Morts… c'est-à-dire ?

– Eh bien ! C'est dans l'ordre des choses. »

Wei leva les yeux. Un nuage aux contours changeants, malmené par les vents de la haute atmosphère, traversait seul l'azur immense. Il sentit une pointe d'irritation, à l'arrière des sinus, et crut qu'il allait pleurer. Mais non. La gêne resta, comme un grain coincé dans sa cavité nasale.

« Enfin, ça n'est pas possible. »

Un agent portait une liasse de papiers, fixée à son support rigide par une pince à ressort. Il la feuilleta en fronçant des sourcils.

« Je lis : quatre-vingt-trois et quatre-vingt-six ans. Vos parents étaient âgés.

– Nous mourons vieux, dans la famille.

– C'est ce que je dis.

– Non, plus vieux que ça. »

Les Zhang, en général, jouissaient d'une longévité hors du commun. Presque tous mouraient centenaires (ou millénaire dans le cas de Dun Chen Zhang, l'ancêtre mandchou, fondateur légendaire de la lignée, qu'on créditait à sa mort par noyade de mille quarante-deux années bien comptées). Chiffres et circonstances se présentèrent distinctement à l'esprit du fils, mais il ne dit rien.

Au lieu de quoi, Wei s'avança d'un pas dans la rue, tourna la tête vers la maison, sa fille, sa femme et ses beaux-parents avancés sur le seuil.

Un regard passa entre les policiers.

«Monsieur ? Tout va bien ?»

Le vent soufflait du sud et de la mer. C'était une brise un peu mouillée qui, faute de mieux, charriait le long des murs des prospectus et des sacs plastique. L'un d'eux profita de la grille ouverte pour s'engouffrer dans la cour. Un autre accrocha les chevilles de Wei. Il mit quelque temps à s'en dépêtrer. La situation aussi devenait embarrassante.

«Qu'on en finisse. Où sont-ils ?

– Qui ?

– Mes parents.

– Ici, avec nous.

– Je ne les vois pas.

– Dans… Ils sont dans la voiture.»

En même temps que cette affreuse nouvelle, les agents avaient apporté les corps, emballés provisoirement dans des housses insectifuges. La question de Wei décrispa les visiteurs et activa leur désir, eux aussi, d'en finir au plus vite. Assez abruptement, ils demandèrent au fils ce qu'il comptait en faire.

«De quoi ?»

Des corps. Le poison inoculé par la double piqûre n'avait pas pour seul inconvénient d'avoir tué Bao et Fang : il hâtait aussi la décomposition des cadavres. S'ensuivaient de franches incommodités, entre autres des échappées de gaz et des écoulements nauséabonds par les fermetures à glissière, malgré l'étanchéité supposée des housses.

«C'est un problème», reconnut le policier qui conduisait la voiture et tenait aussi la liasse de documents. Alors, n'épargnant aucun détail, il expliqua qu'il avait tenu le volant d'une main, l'autre pressant sur ses narines un chiffon imprégné de vinaigre. Son camarade le reprit, ce n'étaient pas des choses à dire. «Excusez-nous. Mais c'est vrai qu'ils empestent. Et puis, on a mis du temps à vous trouver. Cette rue Ziqiang... Elle n'est pas sur les cartes? Sauf votre respect, monsieur, vous habitez un trou perdu.»

Douze heures après leur découverte dans la campagne par un cueilleur de champignons et leur transport tumultueux jusqu'à Shenyang, les restes de Bao et Fang puaient la charogne. Flairant ce travail de corruption accéléré, on n'avait qu'une envie : exaucer ce pressant appel à la terre en jetant les trépassés dans une fosse, la plus profonde possible, puis les couvrir d'autant d'humus qu'auraient la force d'en remuer les pelles des fossoyeurs.

En pratique, c'était plus compliqué. Il était rare qu'en ville, désormais, on fît aux ancêtres le présent coûteux d'une parcelle de terrain. Le premier, Mao Zedong avait promu la crémation qui ne gaspillait pas de terre cultivable (pour la fosse) ni de bois (pour le cercueil). Il ne s'agissait plus aujourd'hui de semer quoi que ce fût, mais ça revenait au même : pas question d'enterrer. Une urne remplie de cendres, logée au columbarium municipal, était la réponse pragmatique et moderne d'une majorité de Chinois à la brièveté de l'existence, et au pénible encombrement de macchabées qui s'ensuivait.

« Dans votre voiture ?

– Oui. À l'arrière. »

Wei étira le cou vers l'auto des policiers, stationnée devant la grille. C'était une berline standard, et la banquette avait été rabattue pour faire la place des corps. Hélas, la saleté opacifiait les vitres et empêchait de bien voir à l'intérieur. Tout juste devinait-on, au foncement circonscrit du verre, le relief dont deux pieds, probablement, animaient le dessus de la housse mortuaire. Détail burlesque, un pot de géranium voyageait à l'avant avec les passagers.

Wei prit une longue inspiration et cracha plusieurs fois sur le mur. La pestilence des corps filtrait par la carrosserie de l'auto. Il repoussa faiblement la grille qu'il avait ouverte aux policiers.

« Messieurs, je vous remercie d'avoir ramené mes parents et je tiens, en leur nom, à vous présenter… nos excuses, pour les désagréments du transport. Maintenant, vous n'avez plus à vous en soucier. Je m'en charge. Faut-il signer quelque chose ? »

Monsieur Zhang prit un stylo des doigts d'un agent mais son collègue lui retira vivement l'ustensile, dont il rentra la pointe pour le glisser dans la poche pectorale de son uniforme. Suivant du regard la disparition du stylo, Wei eut le temps d'apprécier le repassage parfait de la chemise, le pli rectiligne qui, parti de l'épaule, descendait jusqu'au poignet en dessinant sur le tissu une arête vive. Nul doute que cette tenue soignée contribuât à l'enrôlement des jeunes dans la police.

« Pas si vite. Il y a des procédures !

– Bien entendu. Nous suivrons les procédures.

– Que comptez-vous faire des corps ? »

Wei réfléchit un moment.

« Les enterrer sous la cour, au pied de notre arbre. Ils ne gêneront personne et n'encombreront pas inutilement les cimetières municipaux.

– Ça n'est pas permis ! s'insurgea le policier au stylo.

– Nous demanderons les autorisations nécessaires.

– Ce terrain vous appartient-il ?

– Nous prévoyons de l'acheter. Aussitôt que possible. »

Wei restait la main tendue vers le stylo confisqué mais, vu la tournure que prenait la discussion, son bras se replia et prit l'alignement du corps.

Un silence s'ouvrit, et la rue parut se figer un moment dans son dernier état, les fonctionnaires debout dont l'un tournait ses pouces dans la ceinture et l'autre, plus gras, ne cessait de tripoter la visière de sa casquette frangée de sueur ; la voiture blanche à la portière cabossée dont le gyrophare tournait en silence avec, sur le capot, une décalcomanie pâle aux armes de la ville ; les bâtiments poudreux, la chaussée de terre aux squames de goudron, les murs de briques ocellés d'affiches dont la chaleur patiemment décollait les coins. Le seul nuage au ciel s'était effiloché. N'en subsistaient, étirées à l'extrême, que des mèches de vapeur absorbées par l'air bleu.

Les policiers se replièrent vers leur voiture et, malgré l'odeur insoutenable, rabattirent les portières pour délibérer entre eux de la situation. Aucun article de loi ne s'appliquait peut-être à son cas, déduisit Wei Zhang de l'air renfrogné des agents qui, à trois reprises, actionnèrent la radio du véhicule pour joindre un officier. Enfin, une vitre s'abaissa sur la grimace de l'homme au volant.

«Nous n'avons pas l'autorisation de vous remettre les corps. Ils seront déposés à la morgue, en attendant une solution.»

Puis l'auto démarra sous un dais de poussière, soulevé des quatre coins tel un drap qu'on étend. Elle resta là, suspendue, flottant à hauteur d'homme, sans volonté claire ni d'obscurcir le ciel ni de se déposer à terre. Wei suffoquait. Il rabattit la grille et rentra dans la maison.

Des complications de tout ordre retardèrent l'inhumation de Bao et Fang sous l'arbre du jardin. Dès le départ des policiers, Wei s'était rendu à la morgue. Sa qualité de fils unique des défunts lui donna accès au tiroir d'aluminium que ses parents partageaient tête-bêche, le crâne de l'un moulé entre les chevilles de l'autre. La mort atténuait l'effet de cette posture indécente. Couchés ensemble dans la boîte réfrigérée, Bao et Fang n'avaient pas plus d'intimité qu'une paire d'anchois roulés dans un bocal. Ils semblaient plutôt se blottir pour trouver un peu de chaleur – idée aberrante, mais la seule qu'un homme en vie et en maillot léger, Wei Zhang, pouvait concevoir dans l'atmosphère polaire de l'établissement.

Le froid était utile : il matait la puanteur et ralentissait l'odieuse besogne de la vermine dans les chairs. Cependant, la peau congelée était vilaine, par endroits d'une luisance de métal, ailleurs nervurée de fibrilles vertes ou bleues comme si ruisselaient dessous les eaux de fonte d'un glacier d'altitude.

«Je vais vous sortir de là», promit monsieur Zhang. Et, par l'effet de la température peut-être, de la forte constriction des sinus, il laissa fuir des larmes.

Ce jour-là, les démarches de la famille pour disposer des corps n'obtinrent aucun résultat. L'administration voyait d'un mauvais œil ce projet de tombeau domestique et, jalouse de ses tampons, les refusait aux formulaires indispensables. Sincères ou non, ces réticences officielles furent longues à assouplir. Il fallut distribuer des enveloppes aux fonctionnaires, graisser chaque maillon de l'interminable chaîne qui reliait le bureau de la morgue aux services du district. Au-dessus d'un certain rang, les cadres influents n'eurent pas assez d'une pincée de billets. Ils réclamèrent des cadeaux plus substantiels – jusqu'au président du Comité du parti du district de Shenyang, personnage considérable toujours ennuagé d'une fumée de cigare, dont le service ponctuel appela une rétribution d'envergure : un poste de télévision grand format, dalle brillante, huit haut-parleurs, technologies d'ajustement de la profondeur du noir et des tons de chair.

Le téléviseur fut livré, de nuit, au chauffeur d'une grosse berline qui l'emporta tous feux éteints vers un quartier résidentiel à l'autre bout de la ville. Mais le dignitaire tint parole. Du tiroir où probablement il s'envasait, le dossier Zhang entama une ascension rapide vers le haut de la pile. Un coup de téléphone informa Wei que son cas s'acheminait vers une issue heureuse. Trois jours plus tard, l'autorisation d'inhumer fut délivrée et une ambulance apporta les dépouilles dans des housses neuves. Elles s'accompagnaient d'un billet manuscrit du président du Comité du parti. Le grand homme présentait ses condoléances et agréait officiellement l'ensevelissement de Bao et Fang sur le terrain familial.

Au bas du carton s'étirait une signature superbe, débordant des deux côtés et chevauchant le texte, comme si ce modeste support n'avait pas été à sa mesure et qu'elle dût s'étendre au-delà, tirant infiniment ses hampes et ses jambages. Wei fut troublé. Il ne l'aurait pas été davantage de repêcher dans la cuvette des toilettes une écaille du dragon Jiaolong. L'idée lui vint d'encadrer le billet de condoléances, ce n'était pas tous les jours qu'on recevait l'hommage d'un prince de si haut rang.

Déjà le carton était d'une finesse incomparable, une vraie soie de papier. Finalement, Wei confia le billet à sa femme Yun qui le jeta par la trappe du poêle.

Ce n'était pas la fin des ennuis pour la famille Zhang. Creuser la tombe aussi posa problème. Les premiers coups de pioche avaient mis au jour des racines puissamment entrelacées, agrippant la terre telles les mailles d'un filet, sans relâcher le moindre grain. Comment ouvrir là-dedans un trou suffisant pour y loger les corps ? Pas le choix. Wei avait fait de la place en tranchant des racines qui gênaient. Puis ce sont les bras et les jambes de ses parents qu'il avait brisés méthodiquement, seul moyen d'imprimer aux corps les contorsions utiles. Le macabre travail lui causa un évanouissement.

Cependant, ni l'arbre ni l'esprit des morts n'avaient paru lui tenir rigueur de ces mauvais traitements. Aucun cauchemar n'avait visité Wei, aucun démon n'était venu le tourmenter dans son sommeil. Depuis douze ans, Fang et Bao Zhang gisaient paisiblement entre les racines du sumac, comme l'enseignaient une petite stèle d'ardoise plaquée au tronc et, piquant un tas de cendres, des tiges d'encens qu'on brûlait en bouquets début avril, fête des morts et des pétarades funéraires.

Chez les Zhang, vivants et morts faisaient bon ménage ; et l'on pourrait dire : se trouvaient en bonne intelligence, tant les nouvelles qu'ils échangeaient à leur insu (les uns foulant le sol du jardin, les autres dépêchant taupes et lombrics vers le soleil ou remuant par leur terminaison les racines du sumac), tant ces signes donc établissaient entre eux un genre d'intimité.

Au fond, qu'est-ce que ça signifiait, de vivre ou d'être mort ? Une ligne était tracée, la surface du sol : on se situait d'un côté ou de l'autre, mais toujours à la lisière, sans s'élever ni s'enfoncer beaucoup, les uns se dressant dessus, les autres se couchant dessous à un mètre ou deux du bord étranger.

Au printemps, saison de brassages et de fermentations, la frontière s'amincissait encore. Wei disait qu'en foulant le sol autour du sumac, il sentait les orteils de son père bosseler la terre nue. Vous aviez un frisson si, en traversant le jardin, vous achoppiez sur quelque chose : les morts affleuraient ; qui sait si une jambe ou un bras n'était pas sorti de terre ?

Puis l'hiver survenait et durcissait la terre comme un miroir. Plus rien ne filtrait d'un monde à l'autre. Le silence retombait entre vivants et trépassés.

Prière aux endormis

Chaque lundi, Wei visitait la tombe et plantait un ou deux bâtons d'encens qu'il laissait fumer en psalmodiant des prières.

Si le ciel était clair, monsieur Zhang dédiait un peu de temps au nettoyage de la sépulture et à l'entretien du sumac. Cela consistait à racler les mousses qui nichaient au fond des caractères et, peu à peu, rendaient l'inscription de la stèle illisible. Parfois aussi, il fallait ratisser les feuilles, à l'allure de grands peignes nonchalants, qui emplumaient la clôture et les tuiles de la maison (on eût dit qu'un dragon de feu nichait sur le toit). Alors, Wei s'emparait d'un outil de sa fabrication, hybride de râteau et d'éventail au manche de bambou, et s'acquittait de la corvée en quelques mouvements.

Janvier, février étaient des mois rudes. Les températures tombaient jusqu'au tréfonds du thermomètre. Une laque d'hiver, lisse et blanche, nappait la cour de la maison. En cette saison, l'encens brûlait mal ; la flamme qui remuait comme une petite langue au bout du bâtonnet menaçait de s'éteindre, pincée par le gel. Les prières alors se réduisaient à quelques mots. Des demandes ordinaires (charbon pour le poêle, riz pour la cuisine) que Wei récitait debout, se dandinant d'un pied sur l'autre comme s'il craignait qu'un des deux s'attachât au sol.

Un matin pourtant, Wei étala un sac plastique et s'agenouilla longuement devant la tombe. Il allumait d'habitude deux ou trois bâtons – cette fois, ce fut toute une poignée –, avec des billets funéraires dont les morts, supposait-on, étaient aussi avides que les vivants de leur propre monnaie. Ce devait être un jour spécial car monsieur Zhang brûla aussi des chaussons de papier, plusieurs paires, à l'usage douillet des trépassés.

Passagèrement, le feu rayonna une bonne chaleur à laquelle Wei exposa ses paumes par les trous des gants. Hélas, sa peau n'avait même pas tiédi que le petit soleil s'obscurcissait déjà, ses rayons brisés en escarbilles tournoyantes qui pleuvaient sur la neige et la criblaient de trous humides.

Wei inclina la tête, joignit les mains sur des bâtons fumants.

«Papa, maman, je vais bien. Tout le monde va bien, à la maison.»

Il s'en serait volontiers tenu à cette évocation générale, car il sentait fuir la tiédeur de son corps rien qu'en ouvrant la bouche. Mais Bao et Fang espéraient sûrement d'autres nouvelles. Remontant son col à la toison râpée, Wei réunit son courage et débita bon train :

«Belle-maman n'a plus mal au dos. Elle digère mieux, et ses coliques ont disparu. Yun a acheté un nouveau transistor pour remplacer l'ancien qui crachotait. À l'école, les résultats de Meifen progressent, elle réussit bien en algèbre. Et le chat... Le chat se porte comme un charme.»

Monsieur Zhang cherchait quoi ajouter et, pour se donner contenance, balançait ses coudes d'avant en arrière, déroulant dans l'air froid des serpentins bleus à odeur de genièvre. L'air faisait mal à respirer, c'était comme s'enfoncer dans les narines du papier de verre.

Enfin, il éternua, déplia un mouchoir dont il examina le motif rayé avant de s'en frotter le nez.

«Papa, maman, il y a un problème. C'est le charbon... Il fait froid, et nous n'avons plus de quoi payer le chauffage. Si je n'en trouve pas avant ce soir, nous allons grelotter toute la nuit!»

Comme on laisse agir une piqûre chez le malade, Wei laissa cette grave annonce produire son effet. Il n'aimait pas perdre son temps et profita de l'intermède pour gratter de minuscules épiphytes qui bourgeonnaient dans les nervures de l'écorce.

«Le charbon est trop cher!» se plaignit le chef de famille.

Ses yeux bruns, rougis par la fumée d'encens, se levèrent vers le haut de l'arbre. Il avait surpris un éclat aigu à travers les branches. Est-ce que son père lui envoyait un signe? Ce serait bien la première fois. De son vivant, Bao n'alignait pas cent mots à la semaine – au point que certains visiteurs croyaient traiter un infirme et plaignaient la famille d'assumer un parent sourd-muet. Loin de démentir, le père aimait tenir ce rôle. Il sifflait, il râlait, il gesticulait comme s'il avait la gorge nouée, riant ensuite de son bon tour. Heureusement, Fang avait assez de langue pour deux et, don remarquable, pénétrait si bien les pensées de son mari qu'elle lui servait d'interprète.

Certes, un grand taiseux, ce Bao. Ça ne s'était pas arrangé, bien sûr, depuis qu'il habitait sous terre.

« Papa, promets-tu de m'aider pour le charbon ? »

Une lueur flottait toujours là-haut, dans les branches. Wei plissa ses paupières frangées de cils noirs et reconnut, hélas, un reflet du disque laser toupillant au bout de sa ficelle. Ses poumons se vidèrent dans un soupir. Il considéra le sumac d'un œil apitoyé. Maigre, pierreux, son écorce fendue par endroits, l'arbre semblait mort. On aurait dit une potence assemblée pour quelque supplice – le châtiment peut-être de la lumière qui traînait, sanglante, au ras de l'horizon.

Cependant ses genoux s'impatientaient, posés sur le sac. Malgré l'épaisseur du plastique, Wei sentait le froid au travers. Il avait dit sa prière ; à quoi bon s'attarder ?

Monsieur Zhang piqua les bâtonnets sur le cône friable des cendres et se remit sur ses jambes. Tant le froid l'avait pénétré, il ne sentait plus la partie basse de son corps que la volonté de marcher précipita dans une agitation confuse.

Yun le héla quand il passa devant la fenêtre.

« Wei, quelqu'un au téléphone.

– Qui ça ?

– Ton ami Cheng.

– Plus tard, je dois chercher du charbon…

– C'est à propos de charbon, justement.

– Tiens ? »

Le conte
des béatitudes du poêle rouge

L'âge de charbon

Un ami cheminot, Cheng, lui parla du charbon. À force d'aller et venir, de suivre les rails aux commandes de sa vieille locomotive numéro 44, Cheng voyait quantité de choses le long de la voie. Un matin, il avait surpris une renarde trottinant près du poste d'aiguillage. Elle portait dans sa gueule trois petits, tout juste sortis de son ventre. Le phare du train (le seul des deux encore alimenté, projetant son rayon à travers la lentille cuirassée de moucherons) avait profilé de minuscules créatures, roses et glapissantes. La femelle avait mis bas dans le talus de remblai. Le vacarme des convois et la trépidation continuelle des wagons avaient dû l'affoler, et elle déménageait sa progéniture.

Un autre jour, Cheng qui n'avait pas mieux à faire, en pilotant sa machine, qu'à traîner les yeux sur le paysage, avait surpris un couple enlacé à l'entrée d'un tunnel. De très jeunes gens, ils s'étaient allongés sans façon sur des rouleaux de câbles, leurs vêtements étalés en guise de sommier. C'étaient la blancheur de leurs dos et les remous du plaisir, dans un décor à l'opposé sombre et plat, qui avait fixé son regard. Par précaution et par curiosité, le cheminot avait freiné la locomotive, presque à l'arrêter. Deux cents tonnes de tôles vibrantes et d'huile en ébullition avaient frôlé les amoureux à très faible allure. Ni l'un ni l'autre n'avaient seulement levé la tête.

Le métier de conducteur de train lui avait donné d'autres émois, au fil des années. En diverses circonstances, la locomotive 44 avait causé des blessures et menacé des vies, tant les lois qui régissaient la circulation des convois et leur réservaient l'usage, sur des milliers de kilomètres, de la bande caillouteuse entre les rails, tant ces lois donc contrariaient d'habitudes : entre autres les rats, les chiens, les loirs et les hérissons feignaient de ne pas comprendre les écriteaux et finissaient écrasés.

Mais l'incessante flânerie de la locomotive ménageait aussi de belles rencontres, et quelques aubaines. On ramassait des vélos délaissés par leurs propriétaires, des chaises et des matelas à l'abandon, des sacs éventrés de riz ou de plâtre, tout cela pouvait encore servir. Parfois, plus rarement, on embarquait une fille qui se rendait à la prochaine gare, au prochain accroc du grillage tendu le long des voies, et payait de sa douce personne les frais d'acheminement.

Il y avait des histoires extraordinaires. Le cheminot racontait qu'il avait cueilli un pistolet encore chaud, dont le canon sentait la poudre, planté là dans les cailloux du ballast. Un malfrat, sans doute, l'avait jeté par la fenêtre d'un compartiment. Cheng avait pensé le remettre à la police, mais s'était ravisé et l'avait gardé. Il s'était même approprié une valise pleine d'argent, trouvée ouverte sur les rails. Le vent, hélas, en avait dispersé le contenu volatil avant qu'il pût quitter sa cabine. «Jusqu'au dernier billet!» Tant pis, il avait pris la valise et elle lui servait bien. C'est là qu'il rangeait ses deux thermos à thé, tavelés d'empreintes de doigts, et des boîtes en plastique garnies de beignets frits.

«Oui, mais le charbon? s'impatienta monsieur Zhang. Yun m'a dit que tu lui avais parlé de charbon?

– J'y arrive, justement.»

Dernièrement, Cheng avait repéré un stock de houille au fond d'un entrepôt, près de l'ancienne fonderie de plomb; un gros tas de charbon où, prétendait-il, il n'y avait qu'à se servir. Bien des maisons chinoises se chauffaient encore au charbon. Chaque hiver, une pieuvre de suie noire ondulait au-dessus des faubourgs de Shenyang, ses mille tentacules joints à des tuyaux de tôle ou, parfois, à de simples trous percés dans la frêle couverture des toits. Sans tarder, le cheminot avait appelé Wei Zhang, un ami d'enfance dont il connaissait la gêne, et l'avidité légitime pour ce combustible de première nécessité.

«Tu vas là-bas, tu prends ce que tu veux!

– Il y a du charbon?

– Beaucoup.

51

– Où ça ?

– Je t'expliquerai. Tu n'as qu'à me rejoindre, demain à midi. Sois à l'heure, je ne ferai qu'un passage.

– Et pour revenir ? Avec le sac ?

– Ça, tu te débrouilles. »

Le rendez-vous avait été fixé comme à leur habitude dans un certain virage de la voie ferrée, non loin de la maison des Zhang. Aucune clôture ne défendait l'accès des rails à cet endroit, et le convoi devait ralentir pour suivre la courbe. C'est d'ailleurs au creux du tournant, ainsi qu'au pli d'une rivière, que se collaient les saletés : bouteilles, charpies et papiers gras.

Il suffisait à Wei, trottant le long de la locomotive, de bondir sur le marchepied pour grimper à bord. Mais cette fois, était-ce le train trop lancé, Wei parti trop tard, son pied manqua l'échelle qu'il eut le réflexe d'agripper avant que la machine lui filât sous le nez. Il fut un instant dans cette situation périlleuse, pendu à la rampe d'accès, ses jambes tressautant sur les cailloux du ballast. Heureusement Cheng l'attrapa par la veste et, d'un seul ahan, l'attira dans la cabine. C'était moins une : peu après le convoi s'engouffrait dans un tunnel.

« Ah, ah ! Tu vieillis, Zhang ! Combien d'enfants, déjà ?

– Une fille : Meifen. Tu le sais bien.

– Une seule ?

– La consigne du gouvernement. *Mieux vaut dix tombes fraîches qu'un enfant de trop.*

– Ah, bon. Alors, ce n'est pas grave si tu meurs. »
Wei Zhang se remettait, assis sur le plancher, un doigt
sous la mâchoire pour tâter son pouls. Le pilote était de
cinq ans son cadet et ce faible écart d'âge, quelconque
dans leur jeunesse, produisait maintenant ses effets. Il
n'avait jamais défié son camarade à la lutte mais, sûrement, Cheng aurait eu le dessus. Il n'y avait qu'à les ranger côte à côte : le cheminot telle une bonbonne d'alcool
de riz, solide, la tête ronde posée sur le corps tout d'une
venue, épaules et talons moulés ensemble ; et Wei, tout
l'opposé, maigre et plat, à ce point avare de chair que le
tronc seul semblait lui appartenir – ses membres issus de
là comme les rejetons d'un arbre qu'on néglige de tailler.

Monsieur Zhang serait bien resté assis encore un
moment pour rassembler son souffle en pièces. Mais il
craignait les railleries du mécanicien. D'autre part, le
plancher trémulant de l'automotrice, maculé de crachats
et de mégots aplatis, ne donnait pas envie de s'y vautrer.

« Alors, ce charbon ? fit Wei en se mettant debout.

– Je ne t'ai pas menti. Tu n'auras pas fait le voyage
pour rien.

– Du bon, alors ?

– Le meilleur ! exulta Cheng. On n'en sort pas d'aussi
frais des mines de Datong.

– Ça tombe bien. Nous venons de vider un sac. Tu
te rends compte ? Un sac entier, en trois jours. Pfuitt ! »

Wei souffla dans ses doigts, qui flairaient le riz et
l'encre de journal. Le poêle des Zhang brûlait ses

provisions à toute allure. C'était au point qu'on l'avait cru percé au fond, lâchant dessous ce qu'on fourrait dedans. On l'avait retourné, pattes en l'air – mais non, le culot tenait bon. Chauffer consommait, voilà tout.

« Et ton charbon, tu me dis où il est ?

– Tu n'as qu'à suivre la ligne de fret, sur trois ou quatre kilomètres, vers le sud. À un certain endroit, la ligne se faufile entre deux murs de briques : d'un côté, la tôlerie ; de l'autre, l'usine de câbles électriques. Le hangar à charbon est un peu plus loin, sur la gauche. Tu vois ?

– Je verrai. »

La main du conducteur se détacha du volant et remua d'un côté. C'était pour montrer la direction, mais l'exiguïté de la cabine empêchait d'étendre le bras, et l'on pouvait lire son geste tout autrement : peut-être Cheng voulait-il dégourdir une crampe ? Peut-être voulait-il chasser un moustique – quoique l'intrusion d'une bestiole, en cette saison, dans la cabine obtuse de l'automotrice parût très improbable ?

« Au sud ! » bissa le cheminot.

Il emboucha son thermos et avala une grande rasade de thé froid, comme si parler du Midi lui donnait soif. Sans détourner les yeux du pare-brise, Cheng s'essuya la bouche au col crasseux de son paletot. Wei prit à son tour une gorgée. Le thé était infect. Autant remplir son bol aux flaques nauséeuses entre les rails.

Naguère, raconta Cheng, cet entrepôt avait abrité du matériel, il ne savait pas quoi. Quand les ouvriers de la fonderie avaient reçu leur congé, ils avaient emporté des outils et déboulonné des moteurs, pour se dédommager des salaires en retard. Puis la chaudière, les casiers des vestiaires, les gros ventilateurs du toit avaient rapidement disparu. En dernier lieu, avant qu'on murât l'entrée, des maniaques avaient décroché les néons et arraché les fils de cuivre. Il ne restait plus dans l'entrepôt que du charbon de chauffage, dont une bonne part tombé des sacs ou réduit à l'état de poudre sale par les piétinements. Le charbon même foulé avait une valeur : quinze ou vingt yuans le quintal, selon la qualité.

«Tu pourrais même le vendre. Te faire un petit bénéfice.

– C'est surtout pour nous chauffer, signala le passager. Mais pourquoi pas ? Je garde l'idée.

– L'aiguillage est à trois kilomètres. Tu descendras là-bas.»

Wei opina de sa chapka aux ailes crasseuses, qu'il souleva pour se gratter la nuque. Puis il s'encoigna dans un angle de la cabine et ne parla plus, happé par le défilement des rails, leurs inflexions rythmées, toutes les histoires qu'ils semblaient dire en convergeant et en divergeant les uns des autres, tels des amants qui tour à tour, dix fois au kilomètre, rompent et se rabibochent.

Cependant, la voie était droite, la vitesse régulière et Cheng commençait à s'ennuyer.

«Et que fais-tu de tes journées, à part chercher du charbon ?

– Rien d'autre. Si… parfois je taille notre arbre. J'achète des cigarettes, je bricole un peu. Je vais chercher du riz : le sac est lourd, il n'y a que moi à la maison pour le soulever. Et je prie, aussi. Il faut beaucoup prier, tu sais ? Brûler de l'encens, pour les morts. Les défunts ne sont pas des ingrats ! Ils exaucent les prières, si elles sont dites avec ferveur.

– Ça ne fait pas une vie, tout ça mis bout à bout. Tu travailles ?

– Je touche le chômage.»

Il avait prononcé ces mots d'une drôle de façon, comme il aurait dit : «Je palpe l'or.» Or cette réponse sonnait creux, bol vide que frappe une cuillère : le bol doit contenir à manger mais il n'y a rien dedans.

Sa nuque le démangeait encore, Wei se gratta et réfléchit en même temps.

«Ça fait cinq ans qu'ils m'ont renvoyé.

– Où tu bossais, déjà ?

– L'usine de placage sur cuivre. Numéro 16. Elle a fermé. Je l'ai appris par le journal, *Le Commerce de la Chine*. Ils ont titré : "Une grande entreprise d'État fait faillite." Ça a commencé par nous, puis est venu le tour de la fonderie de plomb, de la tôlerie, de l'usine de câbles électriques… En cinq ans, il n'y avait plus rien.

– Tu faisais quoi, là-bas ?

– Eh bien, j'avais une massette et un marteau à long manche, je tapais sur les plaques encore humides pour faire tomber les scories, expliqua Wei avec le geste approprié. Il régnait une chaleur de four, là-dedans. Je me souviens, tout baignait dans une lumière rouge. Comme un coucher de soleil, tu vois, mais un coucher qui s'éternise. D'où ça venait, ce rouge, toute cette brume qui flottait sur le séchoir ? Des projecteurs au plafond de l'usine, ou bien des plaques elles-mêmes ? La vapeur du cuivre, quelque chose comme ça ? Aucune idée... Dis, tu aurais une cigarette ? »

La question était de courtoisie car on n'avait jamais vu de cheminot sans un paquet caché quelque part. Cheng planquait le sien où des collègues craintifs logeaient une bombe au poivre, sur la corniche tendue d'un filet du pupitre de conduite, au-dessus de sa tête, hors de vue des chapardeurs. Il grommela en tendant le paquet à son passager.

« C'est chic. Merci. »

Pendant un moment, Wei se tapissa les bronches de fumée sans plus rien dire. Depuis trente ans qu'il pratiquait le tabac de cette façon naïve et délétère, inhalant jusqu'à la dernière mèche de gaz, le nuage aromatique avait changé de goût et, pour ainsi dire, de texture. Ce n'était plus, comme au début, un fin carré de mousseline glissant le long de sa trachée. Il lui semblait maintenant qu'une râpe frottait ses bronches, laissant longtemps après son passage des irritations déplaisantes. Wei toussait, de plus en plus. Cependant, pour rien au monde il n'aurait sacrifié ce plaisir, adoucissant bien des vies et ménageant dans la sienne des répits bienvenus.

« Et l'odeur de l'usine ! ricana monsieur Zhang en s'éventant le nez. Une puanteur de casserole oubliée sur le feu, âcre, insupportable ! Tu peux me croire, ça prenait à la gorge. À l'époque, je ne me rendais pas compte des gaz qu'on respirait. Une fois l'an, les fondeurs partaient à l'hôpital, en cure de désintoxication. On avalait des cachets, on recevait des piqûres. Pour passer le temps, il y avait une télévision dans la salle commune, avec des films érotiques et du karaoké. Les médecins nous auscultaient à la chaîne. À nous, les ouvriers de l'usine 16, ils disaient pour plaisanter que nous avions les bronches *plaqué cuivre*. Enfin, tout ça, c'est du passé... »

Wei détacha la cigarette de ses lèvres et s'abîma dans la contemplation du bout incandescent.

« Cheng, je peux te poser une question ?

– Eh bien, tu viens de le faire !

– Je peux, oui ou non ? C'est personnel.

– Vas-y.

– Qu'offrirais-tu à ta femme, si tu voulais lui faire plaisir ? »

Cheng eut un reniflement et laissa filer jusqu'à ses pieds, en le suivant du regard, un crachat copieux et d'une belle consistance. On dirait un œuf battu qu'un cuisinier distrait laisse échapper du bol.

« Ma femme ? J'ai une femme, moi ?

– Façon de parler.

– Quelle question ! Je te demande l'huile qu'il faut

58

pour graisser les vilebrequins ? Alors ? Réponds-moi !
Minérale ou synthétique ? Quel indice de viscosité ?
– Calme-toi ! Regarde.»
Wei changea sa cigarette de côté, tandis qu'il dépliait
un article de journal sous les yeux du cheminot. Mais
il n'était pas tranquille, les cendres pleuvaient sur le
papier ; alors, d'une chiquenaude, il envoya le mégot
tournoyant sur les rails.
«Gâchis ! s'indigna le pilote.
– J'ai découpé ça dans *Le Commerce de la Chine*.
L'usine payait mon abonnement et, va savoir pourquoi,
ça a continué quand elle a fermé. Un jour, peut-être,
je lirai qu'elle rouvre. Et nous, les ouvriers, on nous
convoquera pour reprendre le travail !
– Ah, ah ! Quand as-tu vu le lait remonter dans le pis
de la vache ?
– Voilà l'article.»
Pinçant deux coins de la feuille, sans trop tirer pour
ne pas déchirer le milieu, Wei tendit le papier, renforcé
par des traits verticaux de bande adhésive. Des caractères mal imprimés avaient été repassés au stylo par ses
soins. Cependant, il vit comment son camarade allait
s'en emparer, avec ses doigts malpropres qui venaient
d'achever une profonde exploration de ses sinus, et il
changea d'avis.
«Bon, je vais te faire la lecture. Tu dois tenir le volant !»
Wei s'exécuta, forçant la voix pour couvrir le ramdam
des rails et des passages d'aiguilles.

« Rien compris, lâcha Cheng à la fin.

– En résumé : avec du charbon, on peut faire du diamant.

– Qu'est-ce que tu racontes ?

– Du charbon, mon vieux. Comme il y en a partout, comme nos poêles en brûlent des fournées, chaque hiver. Ces petits galets noirs qui s'effritent et qui encrassent les mains... Si l'on appuyait dessus bien fort, vraiment très fort, ça deviendrait des diamants !

– Foutaises ! »

Un petit rire muet secoua le cheminot, lui soulevant l'abdomen par saccades. Quoique de faible ampleur, le phénomène n'en produisit pas moins un coup de trompe et l'allumage de feux clignotants, quand le gros ventre s'écrasa sur le pupitre de conduite. Cheng demanda encore, l'air de se moquer :

« Tu l'as fait ? Je veux dire, presser le charbon ?

– Oui. Ça fait des jours que j'essaie. Sous mes chaussures, sous les pieds de la table, sous le matelas dans la chambre... Dans un coin du jardin, avec un tas de briques j'ai écrasé un galet que je trouvais beau, luisant, bien rond. Ça n'a rien donné. De la poudre, c'est tout.

– Tu m'étonnes !

– Il faut quelque chose de plus lourd... »

La chapka de Wei tomba dans ses mains et lui donna une contenance tandis qu'il retirait, du bout des ongles, des fétus et d'autres saletés de la laine pelée des rabats.

« Combien elle pèse, ta locomotive ?

– Deux cent neuf tonnes, paonna le conducteur. Plus un quintal avec moi.

– Tu serais d'accord pour rouler sur mes galets de charbon?

– Ah, ah. Si ça t'amuse! Tu n'as qu'à les aligner sur les rails. Je te dirai où.

– Vois-tu, je voudrais faire un cadeau à Yun, pour notre anniversaire de mariage. Et un diamant, pour sûr, ça l'épaterait. Elle en a assez, de gants et d'ombrelles imprimées.

– Pas de problème», sourit le cheminot.

On roula encore un peu avant que Cheng, tirant une manette, ne fît crisser les sabots de frein sur les dix roues de la locomotive. Entamé dans un virage, le fort ralentissement précipita Wei contre la portière, qui céda lâchement sous son épaule. Cette fois, il ne put attraper la rampe et tomba sur le ballast. Honteux, le passager se remit debout et battit sa chapka sur sa croupe, que ce fût pour se punir ou pour chasser la poussière.

«Le hangar, il est surveillé?

– Personne ne surveille, assura le pilote du haut de la cabine. Quand même, des gens passent. Cache-toi si tu vois quelqu'un. Je ne veux pas avoir d'ennuis.

– Mais pour entrer?

– C'est ouvert. Le mur est cassé. Ça fait trois jours. Dépêche-toi, Wei. Ils auront tout volé, dans une semaine.

– D'accord, je vais voir. Merci du tuyau. Peut-être trouverai-je un beau morceau de charbon pour Yun…

– Bonne chance!»

Il prend des risques

Une fois le convoi en allé qu'il suivit longuement du regard, Wei enjamba les rails, une dizaine au moins, qui émergeaient du ballast tels les ossements d'animaux décharnés. C'était un aiguillage hydraulique encore fonctionnel, bien que personne n'en assurât plus l'entretien et que l'herbe y montât jusqu'aux genoux en été, la neige jusqu'aux cuisses en hiver. Des lignes se croisaient là, certaines ne desservaient plus rien et bordaient, pendant des kilomètres, une sinistre enfilade d'installations mortes et d'usines refroidies. La ligne centrale était encore en service, de même la ligne de fret où notre homme s'engagea à pied, un sac plié sous l'aisselle.

Il marcha une heure avant de repérer le hangar, selon la description que Cheng lui en avait donnée. Le toit s'était effondré, chargé sûrement de trop de neige. En s'abattant, les poutrelles de la charpente avaient enfoncé le mur et déchaussé la lourde porte coulissante. Un mal pour un bien. Il s'écoulerait des mois avant qu'on répare, si jamais l'on réparait ce bâtiment promis plutôt à démolition. D'ici là, en effet, une brèche était ouverte.

Depuis la fin des usines 11 et 24, ces espaces voués naguère à la métallurgie étaient à l'abandon. Leur seule raison d'exister semblait désormais d'offrir aux merles noirs et aux chauves-souris des recoins où nicher – en échange de quoi ces locataires par milliers dispensaient leurs fientes, qui formaient sur le ciment un feutre épais aux relents d'ammoniac. Mais les entrepôts hébergeaient aussi les souvenirs des ouvriers dont certains avaient pris l'uniforme de surveillants, gardiens de salles vides et de machines inertes. Mal payés, ils mettaient pourtant à leur tâche un zèle sentimental. En ville, on entendait des histoires sur leur compte : tel gardien avait étranglé un rôdeur à mains nues, tel autre armé d'un fusil tirait sans sommation.

«Personne ne surveille», chuchota Wei pour se rassurer.

Il n'osa pas entrer tout de suite. Courbé dans la neige, le menton enfoui dans le col relevé de sa veste, monsieur Zhang fit d'abord le tour du hangar pour repérer les lieux, passa trois fois devant le mur éboulé en jetant un œil à l'intérieur.

Son ami n'avait pas fabulé. Impossible de voir le sombre charbon dans l'obscurité, mais son odeur fade et minérale agaçait les narines. Elle était forte, intense. L'entrepôt devait en abriter une jolie quantité, sûrement plus d'une tonne. Incroyable qu'on laissât ce trésor aux maraudeurs. Vite, en profiter.

Wei huma encore l'odeur du charbon, comme on renifle un fumet de viande grillée au seuil d'une cuisine. Puis il passa une jambe dans l'ouverture et s'introduisit dans le bâtiment. Ce n'était pas la première fois qu'il s'aventurait ainsi dans une réserve à charbon. La promesse de glaner quelques poignées d'anthracite l'avait lancé, naguère, dans de douteuses expéditions. Il avait forcé les serrures de caves, scié des barreaux d'arrière-boutiques, visité les soutes de bateaux. Il avait exploré des citernes enterrées à la lueur mouvante de briquets ou de simples allumettes, grattées toutes les minutes. Souvent, ses renseignements étaient faux et Wei rentrait bredouille, les vêtements déchirés, aussi noir qu'un ramoneur.

Plus rarement, il tombait sur un stock de charbon qu'on venait de pelleter, un tas jusqu'au plafond. Il suffisait, vite, d'en remplir trois ou quatre sacs pour faire sa provision de la semaine et se chauffer *gratis*. Ensuite, Wei se débrouillait pour traîner son butin jusqu'à la maison. Si les rails n'étaient pas trop loin, Cheng lui fournissait une draisine pour le transport et prélevait, sur le total, une commission modeste d'un seau ou deux. Sinon, c'était à l'ancienne : serrer les mâchoires, jeter le sac sur ses reins et tituber jusqu'à chez soi dans la nuit floconneuse.

Le jeu en valait la chandelle. Wei se rappelait des hivers somptueux, crépitant de joie et de bien-être, au nez de la tempête qui enrageait dehors. Le poêle repu, gavé de houille luisante, montait si haut en température qu'il devenait rouge et menaçait d'incendier la baraque. Certains soirs, il fallait le barbouiller de neige pour calmer ses ardeurs. On avait chaud aussi, chaud à en crever. Impossible d'endurer le moindre vêtement dans cette atmosphère d'étuve. Au diable la pudeur, tout le monde allait nu. Même madame Cui, la belle-mère de Wei, baladait son vieux corps fripé de salamandre, pourvue seulement d'un éventail qu'elle agitait devant sa face luisante ou bien, s'il arrivait un visiteur, déployait devant ses charmes telle une vertueuse jeune fille. Dans son sillage pétillaient quelques rires attendris.

C'étaient de bons souvenirs. Wei les évoqua pour traverser l'immensité noire du hangar, où ses pas centuplés par l'écho donnaient l'impression d'une armée piétinant à ses trousses. Parfois il s'arrêtait, le cœur battant, et l'écho se ramassait entre ses jambes. Il n'y avait d'autre lumière que celle entrée avec lui.

Pourtant, si : une lueur rouge baignait le coin opposé du bâtiment. Wei s'approcha en songeant qu'un signal, peut-être, était resté allumé au-dessus d'un couloir d'évacuation, bien qu'en théorie l'électricité fût coupée dans tout le secteur. Il s'aperçut trop tard que le point rouge surmontait une caméra de surveillance, braquée dans sa direction. La salive s'assécha dans sa bouche. Il se retourna pour prendre ses jambes à son cou, mais se ravisa et fit face. Ça n'avait pas de sens. Branchait-on une caméra pour veiller sur un tas de charbon ? L'appareil, sûrement, avait été oublié par l'équipe de déménagement. Qu'elle parût filmer était une autre énigme ; il l'ignora.

Sans se détourner, le visage à nu, monsieur Zhang élargit le sac qu'il portait sur l'épaule et commença d'y fourrer le charbon. C'était un stock superbe, et Wei fut reconnaissant à Cheng de ses informations. Il estimait à une ou deux tonnes la quantité massée là, soit en vrac, soit en ballots de jute dont la plupart crevés dégorgeaient sur le sol en ciment. Wei s'arrêta pour flairer un morceau, pour l'effriter entre ses doigts comme une motte de terre. La qualité aussi était supérieure. Tandis qu'il remplissait un sac, puis un deuxième, des bouffées de gaieté lui montèrent du ventre, le suffoquant un peu. Le témoin de la caméra ne l'inquiétait plus. C'était un allié. Sans cette pénombre rose que la petite ampoule jetait sur le tas de houille, sa tâche aurait été compliquée.

Le travail s'acheva dans l'euphorie. Perdant un peu la tête, Wei fit un pied de nez devant la caméra et esquissa même un pas de danse, à l'attention d'improbables gardiens qui l'auraient épié sur leur moniteur de contrôle. Puis il se dirigea vers la sortie, chargé de deux sacs garnis jusqu'à la gueule.

Monsieur Zhang plissa les yeux en retrouvant la clarté du dehors. La neige s'était mise à tomber, telle une fraîche estompe adoucissant les tons et les contours du paysage. Tout ce que l'homme avait laissé ici de sale et d'anguleux, le noir des machines et des murs d'usine, les cheminées aux coiffes hérissées – tout cela s'émoussait peu à peu, enrobé d'ouate blanche. En particulier, l'estafilade des rails était cicatrisée. C'était devenu une piste, large et claire, au travers des bâtiments. Dans ce grand silence, sous le ciel absent, elle avait des allures de promenade châtelaine.

Wei s'était figuré traîner les sacs dans la neige, corvée lente qui l'aurait laissé fourbu. Or, sa chance continua : dans un rebut près du hangar, il dénicha une brouette de terrassier, auréolant un tas de vieux métaux abandonnés à la rouille. La brouette était en pièces, mais roulante. Wei n'eut qu'à étaler quelques planches sur les brancards pour remplacer la caisse défoncée.

Il songea à prendre tout de suite le chemin du retour, impatient qu'il était de montrer à sa famille le charbon qu'il avait eu pour rien. Mais la prudence conseillait d'attendre le coucher du soleil ou du moins, sans soleil visible, le déclin du jour que donnaient ses rayons au travers des nuages. Il poussa la brouette à l'entrée d'un tunnel et s'y accroupit lui-même, une cigarette patiente aux lèvres.

La neige tombait d'aplomb, ou parfois chassait vers les parois du hangar et sa propre figure, sous les poussées d'un vent joueur. À la bouche du tunnel, un parement de fausses pierres blanchissait doucement. La maçonnerie s'habillait d'une collerette aux plis froids.

La cigarette finie, Wei n'en trouva pas d'autre et talonna la neige avec humeur. Il y avait du bon, toutefois, dans cette pénurie de tabac. La fumée se dissipa et des odeurs neuves montèrent à ses narines : celle fade et marneuse des planches de la brouette, celle laiteuse de la neige sur ses épaules, celle de la transpiration qui l'enveloppait comme un nimbe et, les dominant toutes, celle du charbon.

La gueule des sacs débordait de pierres noires dont l'humidité ravivait le fumet. Le charbon fleurait la cave et la pomme de terre, le puits moussu, les provisions entreposées à l'abri du jour. Il se rappela son idée de forger un diamant. Content d'avoir trouvé une occupation, Wei se mit à fouiller le dessus des sacs en quête d'un morceau convenable. Après avoir cueilli plusieurs galets qu'il rejetait aussitôt, pour vice de forme ou de couleur, sa prospection s'affina. Il fallait un caillou mat, bien cassé, avec des facettes régulières. Une pierre de taille moyenne, du gabarit d'une cerise à maturité – trop petit, le diamant aurait paru mesquin ; trop gros, d'une prétention vulgaire, sans compter les questions sur sa provenance qui n'auraient pas manqué d'affluer.

Enfin, sa main piocha le morceau idéal. Il l'inspecta sous tous les angles, le flaira avec attention, vérifia qu'il ne se brisait pas au premier choc (des pichenettes, envoyées à deux doigts) et conclut que cette belle truffe noire convenait à son projet. À condition d'exercer dessus une pression suffisante, la vilaine petite chose s'emplirait de lumière. Du moins l'espérait-il.

Monsieur Zhang se félicita, pour une fois, de porter une veste usagée. Pincer la doublure suffisait à l'arracher, comme du papier gommeux qu'on décolle. Ce fut là, entre le velours du dessus et le coton du dessous, vers la poche de poitrine dont ses doigts tâtaient le petit sac cousu, qu'il enfouit sa trouvaille. Personne n'aurait l'idée de chercher à cet endroit.

« Yun aura bientôt son diamant ! » jubila-t-il.

Et, la poitrine réchauffée à l'idée du cadeau somptueux qu'il allait faire, monsieur Zhang s'étala sur les sacs de charbon et somnola.

Leur patience est d'or

Depuis deux heures, l'épouse de Wei campait à la fenêtre.

Dans toute la famille, Yun était la seule qui pût occuper le tabouret bancal dressé à cet endroit, un trépied normalement attribué au chat du logis. En fait, une vieille chaise qu'on avait placée là, l'appuyant au mur pour compenser la perte d'un pied, et calant les trois restants avec des briques qui le gardaient d'aplomb. Le tout formait un édifice instable, comme les empilements de boîtes et de cylindres qu'escaladent les artistes de cirque. Pourtant, madame Zhang venait souvent s'y percher, sourde aux miaulements indignés du chat qui protestait de sa petite voix contre cette usurpation.

Yun portait un anorak violet en molleton et un peigne rafistolé planté dans son chignon. Elle avait de tout petits yeux, ronds, nacrés, telles des bulles écloses à la surface du visage plat comme une assiette à bouillon. Un connaisseur d'art ancien eût apprécié sa ressemblance avec une statuette de la dynastie Tang : nez plongeant, petites lèvres en feuilles de trèfle, mains enfoncées dans les manches. Mais personne de la famille n'avait étudié l'histoire ni visité de musée, de sorte que cette remarquable correspondance passait inaperçue. On la disait simplement jolie et l'on enviait Wei d'avoir séduit une fille aussi ravissante, quand tant d'hommes se trouvaient sans épouse.

Pourtant, ce fin visage qui semblait modelé dans la cire et dont l'âge, sans y tracer la moindre ride, avait un peu ramolli les contours, laissant les joues s'affaisser et s'empâter la ligne des mâchoires ; ce visage donc portait un pli. C'était un bourrelet très net, depuis le haut du nez jusqu'au bord des cheveux. Lorsqu'il marquait le front pur de madame Zhang, ses parents savaient à quoi s'en tenir : Yun se faisait du souci.

« Quelle heure est-il, Meifen ?

– Tu n'as qu'à regarder ton portable, maman. L'heure s'affiche sur l'écran.

– Je n'ai pas confiance dans ces appareils. »

Si modeste que fût l'inventaire du mobilier, la maison comptait une table assez grande dont le plateau cent fois recloué, rapiécé, barbouillé de vernis ou de peinture rappelait une carapace de tortue centenaire. La table, ce soir-là, était occupée de diverses manières par le reste de la famille. On y rencontrait Hou-Chi, le beau-père de Wei, en train d'aspirer une nouille interminable du fond d'une soupe de porc ; madame Cui, son épouse impotente, qui grattait des navets au-dessus d'un sac plastique ; enfin la jeune Meifen en tenue d'écolière, jupe longue et socquettes de laine – lesquelles elle ne cessait d'étirer pour abriter des courants d'air ses mollets frissonnants.

Un manuel d'algèbre à la reliure effrangée reposait devant la jeune fille, près d'un mikado de baguettes souillées par le dernier repas, entre un thermos refroidi et des pelures de légumes, dans la lumière indélicate de l'ampoule à tungstène pendue au-dessus de la table. Cependant, même les mains pressées sur les oreilles, Meifen continuait de subir la télévision qui vociférait dans un angle de la pièce et dont le vieil Hou-Chi, à demi sourd, refusait de baisser le volume.

« Meifen, je t'ai demandé l'heure !

– Laisse ton livre, et réponds à ta mère », insista madame Cui, pour une fois d'accord avec sa fille.

Meifen sortit les doigts de ses oreilles, d'où elle extirpa encore deux bobines de papier salies de cérumen.

« Quoi ?

– La pendule est juste en face de toi, tu pourrais lever la tête !

– Tu n'arrêtes pas de m'interrompre ! Je n'aurai jamais fini mes devoirs !

– Tu n'as qu'à les faire ailleurs !

– Où ça ? »

Le fait est qu'en bâtissant la maison, les ancêtres de

71

Meifen n'avaient pas réfléchi qu'un jour, quelqu'un voudrait se plonger dans les livres. Le plan des lieux répondait à l'usage qu'au moment de sa construction, on prévoyait d'en avoir : pour l'essentiel, dormir et cuisiner. Une grande pièce dédiée à la préparation des repas et à leur consommation immédiate servait aussi à la toilette qu'on faisait debout dans une bassine, avec une éponge gorgée d'eau du robinet. Il suffisait de déplier un paravent, trois panneaux entoilés de papier, pour délimiter ce recoin hygiénique dans la pièce à tout faire. Le mur nord, le seul dont les briques fussent revêtues d'enduit, était percé d'une ouverture vers la chambre : un carré maçonné de trois mètres sur trois qu'envahissaient la nuit les matelas de tout le monde, empilés sur le sol pendant la journée. C'était un lieu d'amas divers : monceaux d'habits en strates poudreuses, tas de journaux qu'on repliait sans les lire ou qu'on cédait au poêle, molles pyramides de coussins croulant au moindre dérangement, dépôts de lessives et de linge à laver.

Au total, deux pièces et cinq murs de briques, plus un toit. Mais nulle part d'endroit tranquille. Le gros téléviseur, allumé par le premier-levé et éteint par le dernier-au-lit, saturait chaque recoin de son clabaudage vulgaire. Au tintamarre des publicités succédaient les pétarades des feuilletons policiers et les braillements des jeux d'argent – aussi les discussions, pour être audibles, exigeaient-elles de s'époumoner.

«Impossible d'avoir le calme, dans cette maison !

— Vous dites ?» fit Hou-Chi, en tournant la molette de son sonotone de la main qui ne tenait pas la cuillère à potage.

Au même instant l'extrémité d'une nouille, jaillie sifflante du bouillon, se tortilla jusqu'à sa bouche qui l'aspira.

«Non, grand-père. Je ne parlais à personne en particulier.

— Ce documentaire est épatant ! jubila le vieillard. Vous vous rendez compte ? Ce pauvre homme s'est jeté exprès sur le pare-brise d'un taxi pour accuser le chauffeur et obtenir un dédommagement. Or, c'était son jumeau qui conduisait la voiture, son propre frère dont on l'avait séparé à la naissance et qu'il n'avait jamais rencontré ! La vie est pleine de surprises. Meifen, ma soupe est froide. Peux-tu la réchauffer sur le poêle ?

— Grand-père, j'essaie de travailler.

— Quoi ? Saleté de sonotone. La pile est morte.

— Meifen ! Vas-tu enfin me dire l'heure ? stridula Yun. C'est incroyable, d'avoir à répéter dix fois la même chose !

— Il est neuf heures, maman. Tu pouvais descendre de ton tabouret !

— Neuf heures !» gémit l'épouse.

Yun tenait dans sa main le téléphone, qu'à peu près toutes les minutes elle hochait de bas en haut ou bien tapotait sur sa jambe, comme on secoue un escargot pour qu'il pousse la tête hors de sa coquille. Souvent aussi elle inspectait l'écran, vérifiait la force du signal et le volume de la sonnerie – il arrivait, n'est-ce pas ? que l'appareil tintât sans qu'on l'entendît. Huit messages à son mari, pas de réponse. C'était comme remonter du fond d'un lac, sur une ligne interminable, quantité d'hameçons vides.

« Neuf heures... Ça n'est pas normal... Il aurait déjà dû rentrer.

– Oh, les amoureux ! Oh, les amoureux !

– Tais-toi, Meifen ! »

À la longue, ses yeux frottés à l'écran du téléphone lui semblaient s'user. Elle fronçait ses sourcils noirs, laissait divaguer son regard au plafond. Puis elle revenait à l'écran ou visait, guère plus haut, les carreaux de la fenêtre. La fenêtre donnait au sud, côté rue, bien qu'en pratique un mur coupât la perspective aux limites de la propriété : on n'apercevait du dehors que la coiffe en ciment des immeubles et le col enneigé des lampadaires, telle une frise maussade chevauchant la paroi de briques. La première rangée de carreaux était trop sale, de toute façon, pour rien voir au travers.

La fenêtre (ses neuf pavés crasseux, aux coins oblitérés par les toiles d'araignées et les buées de friture) offrait à son regard un point de fixation. Elle scrutait patiemment le mur, les paupières tendues et douloureuses, la pupille dilatée au point d'abolir la couleur de l'œil. Yun attendrait le temps qu'il faudrait.

La nuit était faite quand Wei atteignit la maison. Sa hâte d'y parvenir lui avait rendu toute sa vigueur : à peine déposée la brouette, il enleva les sacs d'un coup de reins et marcha les derniers mètres sous ce fardeau qu'il jeta en travers du seuil, comme le chasseur triomphant jette la dépouille d'un cerf dix-cors.

Lancé avec un peu trop d'élan, le second sac ébranla la porte qui fit entendre un *clic* et s'ouvrit toute seule. Wei accrocha dehors sa veste crasseuse, ramassa de la neige pour s'en barbouiller le visage et les mains.

« C'est moi ! » lança-t-il à la cantonade. « Le charbon et moi ! »

Tout de suite, monsieur Zhang se précipita sur le poêle, imposa ses paumes sur le métal brûlant qui grésilla à leur toucher.

« Tu vas te brûler, papa.

– Laisse. Ton père en a vu d'autres. »

Il toussa si fort, arc-bouté au fourneau, que le lourd appareil de fonte se souleva de ce côté, retomba pesamment et leva l'autre patte. Ce faisant, Wei se déshabillait en toute hâte, quittait sa veste les deux manches à la fois, et du même élan son pantalon humide où la neige avait plaqué des écailles blanches. Chaque fois qu'il ôtait quelque chose, sa silhouette déjà mince semblait s'amenuiser. On craignait qu'à la fin, le dernier vêtement tombât sur le vide.

Yun avait sauté à bas du tabouret pour attraper une couverture, qu'elle jeta comme une bouée à son mari frigorifié. Meifen, obéissant à sa mère, chercha un pantalon et un pull dans le tas de linge sale. Enfin, madame Cui servit un bol de riz en bougonnant que ce serait sa faute si Wei tombait malade, quelle folie de sortir par un temps pareil. Seul le grand-oncle Hou-Chi, captivé par un reportage télévisé sur le barrage des Trois-Gorges, ne parut pas prêter attention à l'arrivée de son gendre.

«Eh bien, vous en faites, des têtes! s'amusa Wei quand on l'eut assis, entortillé dans la couverture, au-dessus du riz fumant.

– Je me suis tourné les sangs!» fit Yun avec reproche.

Monsieur Zhang leva la main, paume dessus, en signe d'apaisement. Cependant, ses doigts tremblaient un peu.

«Il n'y avait pas de quoi, chérie… Autrefois, les hommes empoignaient une lance et couraient les bois sur la piste de bêtes féroces. Ils risquaient leur vie pour leur famille. Le progrès nous a faits ramasseurs de charbon dans les caves, cueilleurs accroupis d'inoffensifs morceaux de houille. Regarde, nos muscles ont fondu, ils pendent comme des voiles avachies, c'est à peine si l'on tient debout… Personne ne sait plus manier couteau ni hache. Je parie, Meifen, que tu n'as jamais égorgé de poulet?

– Encore heureux!»

Les yeux du père se plissèrent d'amusement.

« Qu'est-ce que je disais ? Bientôt, nous serons herbivores, nous brouterons la luzerne dans les champs. Tant mieux, d'ailleurs, vu le prix qu'atteint la viande... »

Mais Yun ne se déridait pas. Quand un mouvement faisait glisser la couverture de l'épaule de son mari, elle le rhabillait avec un frisson, comme si c'était elle qui revînt du dehors. Le riz ne fumait plus : elle demanda si le plat était assez chaud ou s'il voulait que... ?

« Ça ira comme ça. Calme-toi, un peu.

– J'ai eu peur, Wei. J'ai eu très peur. Un jour, tu te feras pincer par la Sécurité du chemin de fer ! Rappelle-toi, le fils de mon cousin qu'ils ont gardé toute une semaine dans une cellule sans fenêtre, en plein hiver, parce qu'il avait volé du fil électrique ?

– Un gamin de seize ans. Il faisait n'importe quoi.

– Si cela t'arrivait, nous n'aurions pas de quoi payer la caution. Tu prends beaucoup de risques !

– Bah ! Qu'y a-t-il à craindre ? Peut-être d'attraper un mauvais rhume...

– Une pneumonie !

– Ah ! Vous m'agacez, à la fin ! éclata Wei en repoussant son bol. Si vous ne voulez pas de charbon, très bien, je n'irai plus en chercher ! Je croiserai les bras et laisserai le poêle refroidir. Dans quelques jours, quelqu'un passant par là trouvera cinq bonshommes de glace aux postures très naturelles, assis autour de la table. Qui sait? Ça deviendra peut-être une attraction, les gens viendront voir les "congelés de la rue Ziqiang". Ah, ah, ah!

– Et le chat, papa?

– Le chat aura fui vers un foyer plus accueillant. Pas si bête!»

Ces mots étaient sortis des lèvres bleutées de monsieur Zhang en même temps qu'un grand panache de vapeur car, si vaillant que fût le petit poêle bourré de la ration maximale de charbon, sa contribution au climat intérieur de la maison restait modeste. Que valait ce petit point de chaleur et d'incandescence, dans l'immense nuit glacée qui pesait sur eux tous?

On avait beau d'ailleurs boucher les trous le long des fenêtres, remplacer par des neuves les briques émiettées ou fendues par le gel, l'hiver s'insinuait toujours. La méchante saison, qui certains soirs semblait vaincue, grâce aux efforts conjoints du poêle et du téléviseur, reprenait l'avantage dans l'obscurité. Au premier qui s'éveillait, le lendemain, l'hiver réservait d'amères surprises : le fourneau à l'agonie, l'eau des théières immobile, le supplice du sol froid sous la plante des pieds.

«Merde, ça caille ici! Quelqu'un a-t-il une cigarette?» fit Wei en pliant le pouce, comme s'il activait la mollette d'un briquet.

Monsieur Zhang tâta sa poitrine à travers la couverture, mais il se rappela qu'il avait ôté sa veste et tous ses vêtements. Madame Cui suspendait les habits mouillés à des poignées de portes, à des queues de casseroles et même à l'antenne de télévision car, si un fil d'étendage traversait bien la pièce dont il marquait la diagonale un peu lâche, il portait déjà la lessive du jour d'avant.

«Une cigarette, alors? Bon-papa?»

Hou-Chi se déroba d'un geste agacé de la main. Fallait-il qu'on le dérange toujours au moment le plus palpitant des émissions télévisées? À cause de cette interruption, Hou-Chi n'avait pas entendu quelle hauteur, sûrement considérable, atteignait le barrage des Trois-Gorges – et cette information qu'il n'avait pas, qu'il ne pourrait obtenir qu'au prix d'une enquête fastidieuse alors que le téléviseur venait de la donner, ce chiffre irremplaçable excitait déjà chez lui une folle convoitise.

«Pas de clope! beugla-t-il. Fichez-moi la paix!»

Meifen fit preuve de bonne volonté et fouilla le pantalon dégoûtant de son père, jeté sans façon sur le fourneau. D'un amas de bricoles imbibées d'eau, un mouchoir, un ticket de loterie, un lacet de chaussure, elle dégagea une charpie pâteuse et collant aux doigts, hexaèdre encore malgré la décomposition du carton – un étui au fond duquel, inespérée, subsistait une cigarette intacte.

«Il m'en restait une! jubila Wei. Et je ne l'avais pas trouvée! C'est un signe du destin. Merci, ma fille.»

Monsieur Zhang prit la cigarette et l'éveilla avec une autre miraculée, sa dernière allumette. Il prit le temps d'apprécier cette aubaine. Le tabac se consuma dans le silence, et Wei obtint même qu'on baissât d'un ou deux crans le volume de la télévision, au grand émoi de l'oncle Hou-Chi qui, pour sa part, avait déjà poussé à fond la molette du sonotone.

Yun réchauffa pour son mari une grande bassine d'eau où ses pieds s'immergèrent. La vapeur monta sous la couverture dont elle humecta les plis, et Wei n'eut qu'à fermer les yeux pour croire ses membres emmaillotés dans un douillet peignoir d'éponge. C'était délicieux.

« Yun, va chercher la boîte.

– Nous avons déjà compté, la semaine dernière.

– Je dois ajouter quelques billets. »

Monsieur Zhang visita encore les poches du pantalon, jusqu'à repêcher un bout d'emballage de biscuit où logeaient, pliés et repliés comme ces sachets de sucre qu'on chiffonne par désœuvrement, trois billets de cent yuans. Jeté sans façon sur la table, le papier-monnaie s'y épanouit. Trois fleurs de coton se défroissèrent lentement, douées d'une vie si manifeste que Yun et madame Cui s'écartèrent, troublées.

« D'où vient cet argent ? se méfia l'épouse. Ce n'est pourtant pas le jour où tu touches le chômage.

– J'ai vendu la moitié d'un sac, sur le chemin du retour.

– À qui ?

– Bah ! Quelle importance ? Un type qui passait dans

la rue. Cheng avait raison. Avec ce froid, la cote du charbon augmente. Il y a des sous à ramasser !

– Attention, Wei ! La police n'est pas tendre avec les trafiquants !

– Tu recommences ? Écoute, Yun. La police a mieux à faire que compter les sacs de charbon qui voyagent sur le dos des pauvres gens. Je suis tranquille. Le cas de Wei Zhang, palpeur de houille à la petite semaine, n'intéresse pas les autorités ! Sûrement pas. Que je sache, les soldats n'ajustent pas les fourmis qui trottinent sous leurs pieds...

– Et le charbon, où l'as-tu pris ? » s'intéressa Hou-Chi.

Depuis le musèlement du téléviseur, un discret courant d'air (de la porte mal fermée vers le trou du chat, sous l'évier) apportait à l'oncle des bribes de conversation. Il aurait mieux entendu, en s'approchant. Mais, par fierté, il restait près du poste et, le buste vrillé, s'étirait le cou vers la réunion de famille.

« Le charbon..., sourit Wei. Ça, mes chéris, c'est un secret ! Allez plutôt chercher la boîte. Yun, s'il te plaît ? »

Yun traîna une chaise vers un angle de la pièce, y superposa des coussins, dressa dessus une bassine renversée et, se hissant sur ce fragile édifice, tendit la main vers un creux de la cloison qu'elle atteignait à peine, sur la pointe des pieds : la cachette d'une boîte de biscuits en carton. Ses doigts avancés dans le trou lui causèrent d'abord une frayeur, parce qu'elle ne sentait pas les flancs pelucheux du coffret. Ouf! Il était là.

«Qu'est-ce que tu caches, là-haut?» bougonna madame Cui dont les yeux s'arrêtaient au premier étage de la pile, à la hauteur du dossier de la chaise et des chevilles de Yun.

À cause de douleurs aux cervicales, la doyenne des Zhang ne levait plus la tête. Quand son chef se cabrait au-delà d'un certain angle, ses vertèbres l'élançaient cruellement. Raison pour quoi elle vouait un amour pragmatique aux fleurs qui poussaient au sol, et professait au contraire une sainte horreur des oiseaux, des nuages, des avions et telles créatures au-dessus de la ligne d'horizon.

«Tu le sais bien, ce que nous cachons..., s'agaça Wei. Tu perds la tête, belle-maman! Yun, allons!»

L'épouse frémit en sortant la boîte de sa niche. Il lui semblait soustraire une brique qui tenait tout d'aplomb, une pierre où convergeaient les forces secrètes du bâtiment – la clef de voûte de leur humble masure.

«Fais attention... C'est notre vie, là-dedans!»

La boîte fut apportée au milieu de la table, directement sous l'ampoule qui lui tailla des ombres sèches, celles dont le soleil habille une maison au milieu du jour. Avec respect et un peu d'émotion, les mains veineuses du chef de famille caressèrent le coffret, le soupesèrent. Il s'était sensiblement alourdi, ces derniers mois, et le fond commençait à fléchir. En y songeant, une boîte en carton n'était pas idéale. Quel malheur si de l'eau s'infiltrait, si le feu prenait dans la niche ! Il aurait fallu une cassette de métal ou un vrai coffre, mais ce genre d'objets n'était pas dans leurs moyens. Wei souffla pour éclaircir la poudre de brique qui voilait le dessus. Pieusement, il ôta le scotch qui faisait le couvercle solidaire du corps, et laissait une trace plus claire sur le carton. Naguère, la boîte portait un emballage plastique avec l'image d'un gâteau au chocolat plongeant dans un verre de lait, mais les manipulations l'avaient abîmé. Il ne restait plus qu'un bloc de jolis caractères, sur le côté, formant le début d'un nom : « Choco Cakes ».

Enfin, la boîte fut ouverte. À l'intérieur, rangés en long comme les biscuits dont des miettes adhéraient encore au pourtour, des billets de banque la garnissaient tout entière. Au coup d'œil, des dizaines de milliers de yuans.

Monsieur Zhang clappa de la langue. Yun battit des cils, comme si ses yeux affrontaient un soleil éblouissant. Le reste de la famille libéra diversement son émotion : il y eut des éternuements, des déglutitions gênées pour élargir le nœud qui, soudain, s'était serré autour des gorges.

Maintes fois pourtant la boîte était apparue sur la même table, dans le cercle de l'ampoule où chaque soir fumaient les soupes et séchaient les côtes de chou. Mais le magot avait trop grossi, excédait trop la mesure des dépenses ordinaires pour qu'on pût apprivoiser sa présence. Elle restait étrangère, oblique, comme l'aurait été, surgi au milieu d'eux et prenant sa part du repas familial, un visiteur du dehors entré sans s'annoncer.

Monsieur Zhang sentit de l'air frôler ses jambes. Ses mains à plat sur les billets, il ordonna de fermer la porte, puis exigea de déplacer le paravent devant l'unique fenêtre. La maison n'en parut que plus sombre et, par contraste, plus aigus les feux de l'ampoule et du téléviseur.

« Maintenant, comptons ! »

Wei plongea les mains dans l'argent, dérangeant les liasses qui ruaient et cassaient comme des plaques de banquise soulevées par la houle. Les billets étaient déjà groupés par paquets de même valeur sauf le dernier, incomplet, où il glissa sa recette du jour : les trois billets de cent yuans. Parfois, il traçait des additions sur le couvercle poussiéreux. Pas ce soir : le calcul était simple et Wei fit l'opération de tête.

Le résultat dut l'étonner puisqu'il s'y reprit à trois ou quatre fois, ses dents du dessus rongeant pensivement sa lèvre inférieure. L'effort gonflait les veines sur ses tempes et la sueur commençait à sourdre au bord de ses cheveux. Un fond de doute l'habitait encore. Il utilisa la calculatrice de Meifen : des petits bâtonnets nagèrent à la surface du liquide électrisé. C'était la même somme.

Les traits de Wei avaient durci dans le cône de la lampe. L'effet peut-être de cette lumière d'aplomb qui accentuait les sillons sur les joues, tracés de haut en bas, et estompait au contraire les lignes horizontales. Une grande agitation s'empara de sa physionomie. Elle pétillait de tics nerveux, la bouche tirant d'un côté, une paupière battant la chamade.

«Qu'y a-t-il, papa?»

Wei ne répondit pas. Il referma le couvercle de la boîte, la scella d'un double trait de scotch appliqué sur le tour et les quatre faces et se chargea lui-même de ranger le coffret dans sa niche. Lorsqu'il y parvint, au prix de plusieurs chutes et d'escalades têtues, le chef de famille se tourna vers les siens qui, réunis autour de la table, le regardaient avec perplexité.

«Personne n'y touche, entendu?

– Vas-tu nous dire ce qui se passe? intervint l'oncle Hou-Chi que ce mystère avait conquis et qui suivait l'action debout, dos au téléviseur.

– Nous avons l'argent!

– Comment?

– Il fallait réunir une certaine somme. C'est fait. Il n'y a pas un *máo* à ajouter!

– L'argent pour quoi?

– Allons, Meifen! Pourquoi remplissons-nous cette boîte de billets, depuis tant d'années, et même dès avant ta naissance? T'es-tu jamais posé la question?

– Non», reconnut l'adolescente.

Le chef de famille profita de sa position élevée, au sommet de la pile de coussins, pour couvrir sa fille d'un œil incrédule. Sur quoi, Wei demanda une brique, une simple brique comme il s'en détachait parfois du mur et à laquelle les Zhang, ingénieux, trouvaient aussitôt un emploi dans la maison, comme de remettre d'aplomb le paravent bancal ou de franchir une flaque sans se mouiller les pieds. Certaines, laissées un moment à rôtir sur le fourneau, tenaient lieu de chaufferettes aux lits glacés.

Avec le moellon qu'on lui tendit, monsieur Zhang obtura soigneusement la cachette. Il mit grand soin à refaire l'encadrement autour et, puisqu'il n'était pas question d'appliquer un joint frais, tassa dans la rainure un cailloutis de même couleur comme il en pleuvait chaque jour, poussière grise plus ou moins agglomérée, sur le sol de la maison. Wei contempla son œuvre, satisfait. La brique intruse s'était parfaitement fondue aux autres. Malgré tout, pour la différencier de celles banales qui l'entouraient, Wei apposa dessus une marque : un croissant de lune, creusé avec l'ongle.

« Personne n'y touche ! insista le chef de famille. Bientôt, je me rendrai chez monsieur Fan et nous réglerons cette affaire.

– Qui est monsieur Fan ? s'enquit encore Meifen.

– Notre propriétaire. Un homme très riche… », l'informa sa mère.

Plus tard, la pile des matelas fut défaite, les couvertures étendues sur les lits, et l'on se coucha dans l'ordre de chaque soir, réglé pour limiter les enjambements. Yun et Wei s'allongèrent les derniers, puis il revint au maître de maison d'éteindre ; il avait l'interrupteur près de sa tête. Son doigt touchait déjà le cliquet de plastique, à demi enfoncé dans le mur, quand Yun lui chuchota d'attendre.

À contre-jour du plafonnier, monsieur Zhang vit son épouse étirer une grande serviette sur une ficelle qui traversait la pièce. Pendu haut et descendant jusqu'au sol, le rectangle de tissu éponge dressait une cloison souple au milieu des lits, isolant des autres leur matelas. Wei sentit une boule dans sa gorge. Il connaissait le sens de ces préparatifs. Ce rideau leur créait un peu d'intimité, les soirs de rapprochement conjugal.

Il y avait peu encore, faire l'amour entourés du reste de la famille – à portée d'oreille des plus âgés mais surtout de Meifen, qui devait le jour à ces polissonneries – leur causait une gêne insurmontable. Yun étouffait ses gémissements, la tête enfoncée dans l'oreiller. Quant à Wei, la crainte d'être surpris jetait le trouble dans sa virilité : il avait des érections instables, qu'il perdait à la moindre distraction.

À la longue, pourtant, le couple s'était habitué. Ils fermaient les yeux et s'imaginaient être ailleurs. Sur le pont d'un bateau, grâce au ventilateur et aux profonds remous qu'il mettait dans la serviette, chassant vers eux le relent marin des draps imprégnés de sueur.

Yun s'était couchée. Dressé sur un coude, la bouche

sèche, la verge durcie portant à faux dans son pyjama, Wei attrapa sa femme par les hanches et l'attira à lui. Ils s'embrassèrent. Les lèvres de Yun étaient chaudes et molles, d'une adresse incomparable pour tortiller les siennes qui, par comparaison, lui faisaient l'effet d'un anneau de caoutchouc collé sur le pourtour de sa bouche. Tout le sang s'en était retiré, comme il refluait aussi de ses pieds, de ses mains à l'appel du bas-ventre irrigué d'un flux puissant. C'était peut-être qu'il n'avait pas assez de fluide dans le corps, songea-t-il en souriant. Ou bien que son sexe avait trop de volume, rapporté au reste de sa personne. Ah, ah, ah !

« Tes baisers frisquets ! » se plaignit Yun à mi-voix.

Elle descendit le long de son torse, jalonnant le chemin de bécots, jusqu'à la source de toute chaleur.

Le plaisir était un rivage qu'ils abordaient tard dans la nuit, tantôt jetés dessus par une vague impétueuse, tantôt portés par une marée lente et laissés demi-morts sur l'allongée du sable. Quand ils rouvraient les paupières, haletants et couverts d'écume, ils n'avaient plus la notion d'où ils étaient. Un cri pouvait leur échapper, un soupir, car ils avaient oublié les autres, derrière l'écran de tissu éponge. C'était comme un échouage sur une île de paradis. Le navire avait sombré, confisquant tout retour.

Peu à peu, leur revenait la conscience du lieu et du moment. La chambre était calme, troublée seulement par les ronflements de l'oncle Hou-Chi ou les bredouillis de Meifen qui parlait dans son sommeil. Il flottait dans la pièce une odeur intime : émanation des corps repus, des chairs assouvies, salée et citronnée à la fois, qu'un poète chinois du passé nommait l'*iode amoureuse*. En hiver, le ventilateur ne servait pas à rafraîchir mais à balayer cet effluve indiscret. Wei régla l'appareil à la vitesse supérieure, pour couvrir aussi leurs murmures.

« Faire l'amour, c'est bien tout ce qu'il reste aux pauvres pour jouir un peu de la vie. Le monde disparaîtra, si un jour ce plaisir est taxé comme les autres ! »

Ils s'embrassèrent. Ce baiser fut un peu maladroit, leurs bouches s'étaient données avec trop d'élan. Ils recommencèrent, avec plus d'attention, la main de Yun guidant vers le sien le menton de Wei, toisonné de brins de barbe qu'il négligeait souvent de raser.

Yun se coula dans le creux de son épaule, que monsieur Zhang pour l'accueillir étala mieux sur l'oreiller. Son bras passé autour du cou de Yun pendait jusqu'à ses seins, il avait la bonne longueur pour en frôler les tétons, ce qui plongea le mari dans une méditation plaisante sur l'idéale conformation du corps humain, ou plutôt sur l'ajustement des corps ensemble. Cela confortait son opinion que l'homme avait les meilleures proportions du règne animal, ni trop petit comme l'insecte à la merci d'un talon de chaussure, ni trop grand comme la baleine qui manque d'analogues à ses dimensions.

L'autre bras descendait jusqu'au mont de Vénus, ému encore du rapprochement des deux amants. La main de Wei enveloppait le pubis tout entier comme pour le défendre des intrusions. Certes, il y avait dans ce geste quelque fatuité, l'orgueil masculin d'avoir aimé une jolie fille et d'en disposer à volonté – mais de la tendresse aussi, la délectation de ce poil long, fluide et doux, vraie touffe de pinceau à laque, quand on disait d'autres femmes pourvues à cet endroit de brosses raboteuses. L'étaient-elles vraiment ? Wei n'en savait rien. Yun était la première et la seule qu'il eût connue.

Monsieur Zhang s'étala sur l'oreiller, heureux comme tout. Ne manquait à sa félicité qu'une cigarette, mais on n'avait pas le droit de fumer dans la chambre. D'ailleurs, l'effort doublait sa respiration d'un sifflement inquiétant ; autre raison de s'abstenir. Il déglutit pour purger sa bouche d'une salive impatiente.

« La boîte est pleine, Yun. Je n'arrive pas à y croire… Combien d'années ont passé depuis que mes parents ont commencé à la remplir ? Les billets du dessous ont presque moisi, dessus ils sentent le neuf ! C'est une nouvelle vie qui commence pour nous !

– Pourquoi as-tu rangé la boîte ? Je pensais que tu irais chez monsieur Fan sans attendre.

– C'est tellement d'argent. Et nous espérons ce moment depuis si longtemps ! Laisse-moi savourer un peu… Ensuite, ce sera plus facile de m'en séparer. »

Wei regarda le plafond zébré d'humidité, les crottes

de souris aux coins des murs, le ventilateur bancal monté sur un manche de balai et, dans cette belle humeur où il était, tout fut à son goût. Même le dépôt malodorant que le chat venait de faire contre leur lit, pour se venger sûrement de ne pas avoir été admis auprès de ses maîtres, même cela l'enchantait.

« Oh, la vilaine petite bête ! Ah, ah, ah ! »

Pour rien au monde, monsieur Zhang n'aurait voulu être ailleurs, en compagnie d'une autre femme. Aurait-on glissé dans son lit la plus jolie comédienne, la plus affolante des danseuses de bar, il l'aurait éconduite d'un haussement de sourcils, exigeant qu'on lui rendît sa bien-aimée.

« J'irai chez monsieur Fan dans quelques jours, annonça-t-il. Rien ne presse. Et puis, c'est notre anniversaire de mariage. Tu crois que j'ai oublié ? Nous fêterons cet événement comme il convient. »

Yun sourit et enlaça son mari. Ils sentirent le matelas fatigué s'amincir sous leur poids. Plus épais où la mousse était abondante, plus fin là où elle manquait, le lit semblait instable, tel un radeau menaçant de chavirer. Les deux passagers ne s'enlaçaient que plus fort, unis contre le péril.

« Tu me fais rire, Wei.

– On dit que c'est bon, qu'un homme fasse rire sa femme !

– Nous n'avons pas de quoi remplacer ce matelas, et tu veux fêter nos vingt ans de mariage ? Dis-moi, avec quel argent? Puiseras-tu dans la boîte que tu viens de remplir ?

– Jamais ! C'est défendu, tu le sais bien. Nous n'en avons pas soustrait le moindre billet, pendant toutes ces années. Et nous ne l'aurions fait qu'en dernière ressource, pour payer l'hôpital si ton père ou ta mère était tombé malade.

– Nous sommes ensemble. Pas besoin de fêter quoi que ce soit.

– Je ne suis pas d'accord. Un bon repas, un petit cadeau à ma femme… Laisse-moi faire. Je m'occupe de tout. »

Le conte
du charbon cent carats

La vérité perche au sommet de l'arbre

Le lendemain, Wei fut le premier debout. Dans la famille Zhang, se lever avant les autres n'offrait aucun avantage. C'était même une très mauvaise idée. Il fallait d'abord sortir de la chambre, s'en extraire plutôt : enjamber les corps pantelants d'autres dormeurs, s'ouvrir un passage dans le domino des matelas plus ou moins chevauchés. Diverses tâches incombaient alors au plus matinal. Wei les remplit en frissonnant, la couverture de la veille sur les épaules. Il pelleta le charbon à l'intérieur du poêle et enfouit sous le gravier luisant une pointe de bois allumée. Peu à peu, le tas fouetté par son haleine se couronna de mèches claires. Wei dégela une à une les théières glacées, traîna l'éponge sur la table, accommoda pour le chat les restes nauséeux au fond des bols.

Comme chaque matin, le chat avait surgi dès qu'on avait marché dans la maison. De ses escapades inconnues dans la nuit de Shenyang, l'animal rentrait l'œil étoilé, des moires ondoyant dans son pelage, comme s'il revenait de visiter un autre monde. Or, son maintien changeait en passant la chatière. Le prince soyeux devenait courtisan, prêt pour gagner sa pitance à tous les abaissements. C'était un petit buisson de poils hérissés frottant vos chevilles, un plumeau sinueux qui passait et repassait entre vos jambes, s'y emmêlait parfois.

« Tu vas me faire tomber ! » pesta monsieur Zhang.

À cette heure – à cette heure seulement –, la faim mettait dans ses miaous une nuance de soumission. Elle s'éteignait pourtant, à peine l'avait-il assouvie de quelques lambeaux de poulet. En deux bonds, le chat rassasié filait dehors.

Avec le félin avait pénétré un rayon de soleil, malgré l'opacité des carreaux. En travers de la pièce s'allongeait une corde à violon, claire et frémissante, dont un bout illuminait la fenêtre et l'autre déplaçait sur le mur un point blanc. Le soleil était comme le chat : on ne le voyait guère qu'aux deux extrémités du jour ; le matin, avant que les gaz d'échappement ne voilent l'atmosphère ; le soir, quand ils se dissipaient et que relâchaient les usines – on avait une chance, alors, d'assister à la descente du soleil derrière l'horizon.

Quand il eut rempli toutes les théières d'infusion bouillante, Wei passa deux vestes l'une sur l'autre et sortit dans la cour.

Le thermomètre s'était encore affaissé pendant la nuit et un givre tout neuf pétillait sur les branches du sumac, sur son tronc de velours diamanté. L'arbre bourgeonnait de joyaux qui, bientôt, fondraient dans l'air réchauffé. Monsieur Zhang traversa la cour à grandes foulées, ses semelles de caoutchouc crissant sur la neige aiguë, telle au sol qu'une jonchée de pierreries. Ce matin d'hiver était une splendeur.

Arrivé près de l'arbre, Wei se fouilla pour sortir une grosse poignée de bâtons d'encens, le reste du paquet entamé au dernier nouvel an. Cette botte comblait ses deux mains et lui donnait l'impression d'enserrer un cou d'animal. Ça n'en restait pas moins une offrande superbe qu'il présenta avec fierté à la stèle de ses parents.

« C'est pour vous. Je vais tous les allumer. On verra la fumée jusqu'à Shenyang. Je vous dois bien cela ! »

En fin de compte, Wei ne se borna pas à piquer des tiges au pied du sumac mais, par une fantaisie joyeuse, voulut en garnir le laquier jusqu'au faîte. Il entama l'ascension de l'arbre par ses branches les plus solides, fichant les brins d'encens un peu partout, par deux ou trois, dans les plis et les ravinements de l'écorce.

« Merci pour le charbon ! fit monsieur Zhang, parlant et chantonnant à la fois. Merci pour l'argent ! Merci pour Yun, douce perle ! Ah, que de bienfaits ! Papa, maman, vous nous comblez ! »

Il s'arrêta à mi-hauteur, le temps d'élaguer un rameau desséché qu'un dernier filament retenait au tronc.

97

« Vous rappelez-vous la promesse que je vous ai faite en creusant la tombe ? Pendant que Meifen était partie au temple chercher les bonzes ? Eh bien, cette promesse, je vais la tenir... »

Un peu plus loin, il s'arrêta encore, cette fois pour se moucher. Accroché d'une seule main, il opéra de l'autre, vidant ses deux narines dans la fourche du pouce et de l'index.

« ... mais j'ai besoin de votre aide. C'est risqué d'aller là-bas. Vous connaissez les gens que je vais voir. Ce sont des brutes, ils me font peur. On dit que monsieur Fan a brisé les pouces d'un locataire qui n'avait pas payé ses arriérés. Je demande votre protection. »

Wei prit l'attitude de circonstance, les paupières closes, les mains jointes sur la poitrine, le temps qui convenait à l'émission de sa prière. Si haut dans l'arbre, la posture était dangereuse. Il l'abandonna au bout d'un instant.

Au sommet, ce fut tout un bouquet d'encens que monsieur Zhang planta dans une touffe de mousse. Sa jambe se tendait déjà pour redescendre, quand une particularité du décor appela son attention. Comme une poussière entre dans l'œil, un corps étranger venait de pénétrer le champ de son regard. Wei tendit le cou et avisa, dans le morceau de rue que dégageait sa position élevée, par-dessus le mur de clôture, un détail nouveau.

C'était une affiche, collée nécessairement pendant la nuit puisqu'il ne l'avait pas vue en rentrant du charbon.

Une seule affiche ? Non, le même placard chevauchait deux poteaux d'aluminium, aveuglait plusieurs fenêtres des maisons voisines, scellait une porte, barrait un panneau de circulation, camouflait un réverbère de bas en haut et pullulait en telle quantité sur un mur qu'on l'aurait cru motif de tapisserie. On en comptait vingt, peut-être, dans l'espace compris entre l'ancienne conserverie de viande, à gauche, et le talus de la voie ferrée, à droite, soit moins de cinquante mètres. Cela ressemblait à un colleur qui fait du zèle, pressé d'épuiser un stock abondant.

À cette distance, il n'était pas possible de lire le texte imprimé. Sauf son titre, en caractères énormes : 集会, « Convocation », qui se répétait de feuille en feuille tel un slogan scandé par une foule fanatique. Le trait était épais et monsieur Zhang songea à la dépense d'encre pour tirer tous ces placards. Il fallait que ce fût important.

Au demeurant, ce mot, « convocation », ne lui disait rien de bon. Cela avait un air d'injonction et d'autorité qui lui déplaisait, comme il heurtait quiconque de sa génération n'avait pas connu personnellement, mais avait entendu d'autres bouches le récit des exactions passées, quand les gardes rouges vous *convoquaient* à quelque séance publique d'autocritique et vous dictaient, un écriteau calomnieux autour du cou, la coiffe de l'infamie sur la tête, l'aveu de crimes imaginaires. Or, la Chine avait changé. Même les administrations, gardiennes d'anciennes mœurs, délaissaient peu à peu le ton comminatoire et les tournures fulminantes d'autrefois. On ne convoquait plus guère qu'à des visites médicales et à des séances de vaccination. Quelle annonce, aujourd'hui, valait qu'on alertât tout le voisinage et qu'on habillât tout un quartier d'un message alarmant ?

Soucieux, Wei qui dévalait le sumac manqua une branche et chuta ce qui restait de hauteur, s'abattant au pied du tronc sur des bâtonnets d'encens. Aussitôt debout, les mains plongées sous les aisselles pour les dégourdir, le chef de famille tituba jusqu'à la rue. La première affiche qu'il rencontra obturait un soupirail du bâtiment d'en face. Elle ne lui apprit rien, sinon qu'un «Comité officiel de valorisation du quartier Xisanjiazi» ferait dans deux jours la présentation d'on-ne-savait-quoi, sur la scène d'un théâtre dont Wei situait à peu près le bâtiment buté et quadrangulaire, à quelques rues de là.

Des photos sans rapport illustraient le message : une jeune fille portant un panier de fleurs, un nid garni d'œufs, le porche grenat du mausolée de l'empereur Huang Taji à Shenyang et même une rutilante pelle mécanique avec, tassés dans le godet trois mètres au-dessus du sol, un groupe d'ouvriers à casques jaunes. L'imprimeur devait avoir ces images en boutique, à moins qu'elles ne provinssent d'un jeu de cartes postales.

C'était sans queue ni tête mais monsieur Zhang – de

la tournure abrupte des phrases, peut-être, ou du tracé anguleux des caractères – en conçut un mauvais sentiment. Après un coup d'œil à gauche et à droite pour s'assurer qu'il était seul, Wei pinça le coin du placard et l'arracha du mur. Ceux à l'entour subirent le même traitement. Il décolla un bon nombre d'affiches mais, pour finir, les ongles agacés, les doigts poisseux de glu, il sut qu'il n'en viendrait pas à bout et négligea les autres. Ce démon d'afficheur avait couvert la ville de ses papiers, qui répétaient jusqu'à l'assourdissement le rendez-vous à tenir.

Était-ce le froid, était-ce l'avis qu'il avait lu et relu, le nez contre la feuille ? – quand il rentra à la maison le sang pulsait douloureusement aux tempes de Wei. Il traîna une chaise devant la télévision, près de l'oncle Hou-Chi qui buvait son thé du réveil. À ses côtés, le chef de famille prit sa part des programmes matinaux, dédiés pour l'essentiel à la vente d'articles électroménagers et à la propagande de salles de gymnastique. Puis ce fut une émission de cuisine : la bedaine ficelée dans un tablier rouge, un chef décrivait la préparation de champignons toxiques. Même cuite longtemps pour qu'elle sue son poison, certaine variété d'amanite gardait une amertume goûtée des connaisseurs. Wei prit la tasse des doigts de l'oncle Hou-Chi et but une gorgée, le regard fixé sur une fissure de l'enduit, au-delà du téléviseur.

« Tout va bien, papa ? »

Meifen avait pris le relais de son père dans les travaux

domestiques et, les reins ceints d'un chiffon, s'activait au-dessus des théières fumantes, pareilles aux orifices bavards d'un volcan en activité. Les raviolis du déjeuner étaient déjà prêts. De petits galets de pâte blanche, dorés sur l'envers par la friture, tressautaient au fond d'une marmite.

«Dis, Meifen…

– Quoi?

– Il y a une affiche, dans la rue. Une affiche collée sur un mur. C'est une réunion d'information pour les habitants du quartier, ou je ne sais quoi. J'aimerais que tu t'y rendes. Quelqu'un doit y aller.»

En train d'expédier son déjeuner à la fenêtre, les talons posés sur la pile des briques qui servaient d'appui au tabouret, Yun déglutit sa bouchée de beignet.

«Pourquoi pas toi, Wei?

– Je dois m'occuper du charbon.

– Quoi, le charbon? Tu viens d'en rentrer deux sacs.

– Ça ne suffira pas. Nous sommes au milieu de l'hiver. Cheng doit passer aujourd'hui, il faut en profiter. À pied, c'est trop loin.

– Encore Cheng… cet homme, il a une mauvaise influence sur toi! dénonça Yun en agitant ses baguettes vers son mari. S'il ne t'entraînait pas dans ses combines, tu serais bien obligé de chercher un travail. Tu gagnerais ta vie honnêtement! Et, au lieu de voler du charbon, nous l'achèterions à l'épicerie, comme tout le monde.

– Hum. La leçon est finie?»

Les vestes superposées de monsieur Zhang comptaient huit poches et plusieurs recoins que Wei tâta à la suite, dans l'espoir d'un paquet de cigarettes oublié quelque part. La vapeur du thé et l'émanation huileuse des cuissons saturaient l'atmosphère. Ce serait bon de fumer pour s'assécher les bronches. Mais pas de cigarette. Pénurie de charbon, pénurie de tabac. Leur petit monde menaçait de sombrer dans le froid mouillé.

Wei donna de la cuillère contre son bol, où s'abattit presque aussitôt une bonne louchée de raviolis brûlants.

«Alors, tu iras? insista le chef de famille.

– Papa, j'ai cours, cet après-midi! Maman peut...

– C'est à toi que je le demande! s'énerva Wei en tapant du pied, si peu d'éclat fît sa semelle de crêpe sur le carrelage. Tu assisteras à cette réunion, et tu nous feras un rapport.

– Bon, d'accord!» céda Meifen.

Gentille fille, songea son père. Il étudia le visage plein de l'adolescente qui flambait dans les vapeurs. Ses mains attrapaient les manches des casseroles sans rien sentir – d'avoir préparé tant de repas les avait tapissées d'une corne à l'épreuve des brûlures. À ce régime, c'était sûr, sa fille finirait par s'abîmer. Qui alors voudrait d'elle? Il avait beau manquer de femmes à Shenyang et dans tout le pays, qui s'éprendrait d'une fiancée aux joues cuites, aux paumes rêches comme des écailles de tortue? *Le temps frotte et le miroir se ternit.* Meifen avait une carnation plus délicate que sa mère : en les plaçant côte à côte dans la pénombre, impossible de dire la plus âgée. C'était injuste.

Monsieur Zhang souffla fortement des deux narines, pour expulser l'air à odeur de marécage qu'il sentait descendre dans sa gorge, plus loin à chaque inspiration. Son regard dévia du téléviseur vers la fenêtre où la silhouette de l'arbre se profilait à contre-jour. Avec toutes ces émotions, il avait oublié d'allumer les bâtonnets d'encens dont les dards roses hérissaient, ici et là, le tronc et les branches du sumac. Certains bousculés dans sa chute étaient cassés ou pointaient vers le sol ; beaucoup gisaient, perdus, sur le monticule de neige durcie. Un beau gâchis.

Wei eut honte de cette prière bâclée comme d'un pet lâché dans la foule. Était-ce là le témoignage de gratitude qu'il devait à ses parents pour l'avoir si pleinement exaucé ? Décidément, la journée partait de travers.

« J'y vais, annonça monsieur Zhang, soudain sur ses jambes.

– Où ça ?

– Au charbon.

– Veux-tu qu'on t'accompagne ?

– Non. Restez à la maison. Verrouillez la grille et n'ouvrez à personne. J'emporte les clefs. »

Wei brandit le trousseau à hauteur de son visage. L'anneau était glacé. Quand il en détacha les doigts, monsieur Zhang sentit sa peau s'attacher au métal.

«Sois prudent!
– Papa et maman veillent sur moi.
– Quand rentres-tu?
– On verra. J'ai le téléphone.»

Traverser la petite cour, longer le mur de la maison, remonter la rue lui coûta des forces immenses. Par trois fois, il manqua rouler dans la neige, ses pieds posés de travers perdant leur appui. À peine vit-il l'homme à la chapka crasseuse qui le traita d'ivrogne et plaignit sa femme d'enlacer une bonbonne.

«J'arrive, Cheng! annonça monsieur Zhang au téléphone.

– Tu es en retard.

– Laisse-moi une minute.»

Wei suivit la rue Ziqiang encore un moment. Arrivé à la hauteur d'une borne d'incendie, il dévia vers un fossé dont un mur incliné trahissait le relief, malgré la neige qui remplissait les creux et donnait l'illusion du plat. Ici et là, un javelot de fer rouillé, des débris de machines crevaient l'épaisseur blanche. Mais le gros des immondices était enfoui, tendant au marcheur des pièges indécelables. Wei lui-même, malgré son habitude des lieux, s'empêtra dans un câble et inspecta avec humeur son pantalon graisseux.

Au creux du fossé, la neige profonde mouillait son ventre. Une plaque de tôle, par chance, formait un gué vers l'autre rive. Ensuite la pente se redressa, comme changeait aussi la nature du sol : non plus de boue mais de pierres concassées, ton flamme ou miel refroidi, avec des taches d'huile noire ; le ballast signalait l'approche d'une voie ferrée.

Wei escalada des mains et des pieds. Le sommet du talus, plein sud, était libre de neige. Il se redressa au milieu des rails, scintillant sous le soleil d'hiver. Un feu de signalisation cliquetait de l'autre côté de la voie, seul bruit perceptible. Là-bas, pourtant, quelque part au point de fuite des rails, une automotrice de deux cents tonnes fonçait dans sa direction.

Il n'y avait pas de temps à perdre. Wei s'agenouilla sur une traverse, plissa un œil pour étudier la courbe du métal. Selon Cheng, l'endroit n'avait pas d'importance. « La locomotive écrase tout ! Partout avec la même force ! Alors, c'est bien égal que tu le poses ici ou là... » Wei n'était pas d'accord. Il réfléchit un moment et choisit certain tronçon du rail de gauche, à l'éclat plus vif. Si l'usure patinait le reste de la voie, ce morceau du moins réfléchissait le jour avec ardeur. Ici, le frottement des roues était assez intense pour mettre l'acier à nu.

Wei posa le galet de charbon au milieu, le calant avec des boulons pour éviter qu'il ne glissât du rail légèrement bombé. Très vite la barre se mit à palpiter sous ses doigts. Ce n'était pas la vibration sèche de l'enclume sous le marteau, mais le tressaillement tendre et chaud d'un animal qui revient à la vie. Un spasme plus fort lui fit lâcher prise. Il redressa la tête. À l'horizon des rails pointait le convoi qui grossissait dans des proportions alarmantes. Cheng, penché hors du poste de conduite, lui faisait signe de s'écarter.

Wei recula et se coucha sur le ballast. Il ne quittait pas des yeux la boule noire qui renflait distinctement la tige d'acier. La locomotive se jeta dessus comme le fauve sur l'appât. Elle ne faisait que suivre les rails mais, tant son arrivée était brusque, tant son galop portait de volonté et d'élan, on aurait dit, oui, une lionne affamée s'abattant sur un quartier de viande. Un tourbillon de poussière et de bruit balaya l'accotement. Wei, recroquevillé, un bras autour de la tête, s'écria sous la mitraille de cailloux que le train charriait avec lui. Des aiguilles lardaient l'intérieur de ses paupières, pourtant il s'obligea à regarder.

Quand les roues de la locomotive broyèrent le morceau de charbon, des éclats noirs fusèrent dans toutes les directions. Wei reçut une particule dans l'œil. À cet instant retentit un bruit de verre cassé, un son aigu et clair. Il en eut à peine conscience, tant son globe meurtri le faisait souffrir. Mais, s'étant longuement essuyé l'orbite avec un pan de sa chemise, Wei se rappela ce tintement et tituba vers les rails.

Ils étaient chauds encore, pantelants d'émotion. Ce violent laminage n'avait presque rien laissé de sa petite installation. Un boulon aplati s'était fondu à l'acier de la voie ; l'autre avait disparu, éjecté sûrement au passage des roues. Du morceau de charbon, nulle trace, sinon des salissures de cendres qui, sur deux bons mètres, ternissaient l'arête de métal. Son bout de chemise toujours sur l'œil, Wei se baissa pour ramasser quelque chose.

Cheng suivait la scène dans le rétroviseur de l'automotrice, un miroir branlant que les fortes vibrations, à l'arrêt comme en marche, décrochaient parfois du flanc de la cabine. Serré à fond, le frein n'avait pas encore arrêté la locomotive. Elle ralentissait dans des crissements épouvantables, fumant de toutes ses ouïes, jutant sur le ballast une huile grasse tandis que son pilote salivait aussi par la vitre.

« Alors ? Qu'est-ce qu'il fiche ? »

Cheng donna un coup de trompe, puis un deuxième que répercutèrent les façades des immeubles alentour. Ceci n'ayant aucun résultat, il relança l'attelage à petite vitesse.

Sa satisfaction fut vive de voir Wei, enfin dégourdi, trotter vers le train.

« À la bonne heure… »

Un instant plus tard, monsieur Zhang était à bord, rouge et souffleux. Cette fois, Wei ne s'étendit pas sur le plancher mais grimpa sur le siège du pilote, lui imprimant avec sa jambe un léger balancement. Malgré l'effort, son ami était hilare. Un sourire de victoire lui fendait les joues. Cheng remarqua le poing pressé contre la poitrine, serré à blanchir les jointures.

«Qu'est-ce que je t'avais dit, Cheng? Mes prières ont été exaucées! D'ailleurs, ça n'a rien à voir avec les prières. Tout s'explique par la science!

– Pauvre Wei! Tu ramasses un bout de verre et tu t'imagines...

– Ce n'est pas du verre, c'est du diamant! Plus petit que je ne l'espérais, mais enfin...»

N'y tenant plus, Wei ouvrit la main et la tendit à son camarade. Le fond recelait une pointe claire dont la lumière s'empara comme d'une trouvaille. Pas plus grosse qu'un ongle de petit doigt, elle brillait d'un éclat véhément qui étonnait relativement à sa taille, un éclat encore avivé par la noirceur de la paume qui lui servait d'écrin.

«Du verre, grommela Cheng. Un bijoutier te le dira. La faute aux crétins qui lancent des bouteilles sur la voie!»

Wei fit non de la tête, mais rempocha le simili-diamant et ne voulut plus en discuter. Il offrit une cigarette au cheminot et s'en pourvut lui-même, méditant lesquelles des *Double bonheur* ou des *Moustaches de tigre* étaient les plus savoureuses.

«Alors, tu retournes au charbon?

– Pardi.

– Déjà finis, les deux sacs?

– J'en ai vendu un peu.

– Te voilà raisonnable!

109

– Il fait si froid. Notre arbre va crever, si ça continue... Et nous, pareil !
   – Ce vieil arbre... Qu'est-ce que vous attendez pour
l'abattre ?
   – Vaste sujet. »
   Wei leva les yeux vers l'horloge à cadran rouge pendue au-dessus du poste de conduite. Il y avait aussi, fixé
au toit couleur crème, un ventilateur présentement à
l'arrêt mais qui devait bien servir lors des chaleurs de
juillet.
   Monsieur Zhang songea à l'été, au soleil ardent,
sans pouvoir s'en faire une image réaliste. Une éternité, lui semblait-il, qu'il n'avait pas quitté ses deux
vestes ni senti sur sa peau le frôlement de l'air nu.
L'hiver n'en finissait pas ; chaque année si long qu'on
oubliait l'automne – il arrive qu'en chemin vers une
destination lointaine, on perde le souvenir d'où l'on
est parti. À Shenyang, la saison froide durait la moitié du calendrier. Dès septembre, chacun s'ensève-
lissait dans des épaisseurs de tissu qui empâtaient
les silhouettes et, entre autres méfaits, voilaient aux
hommes les courbes vénusiennes. Mais peut-être la
nature le voulait-elle, peut-être était-ce exprès ? Il y
avait tant de garçons pour si peu de filles qu'il aurait
été vain, et risqué peut-être, d'aguicher ces messieurs
par le dessin des corps.
   Monsieur Zhang pensa à sa propre épouse qu'il
échoua, hélas, à se figurer nue. Rien à faire : c'est dans

son manteau de janvier que Yun lui apparaissait, la tête entortillée d'une longue écharpe et le manteau boutonné jusqu'au menton. Décidément, il fallait vite se procurer du charbon.

«Dis-moi. Est-ce que tu…»

Brusquement, Wei accoudé à la fenêtre poussa une exclamation et agrippa des deux mains la vitre branlante. Il s'écria quelque chose que couvrit le vacarme d'un aiguillage franchi à cet instant. Le mégot tomba de ses dents desserrées à l'intérieur de la bouche. Il l'éjecta avec une grimace et son pire juron.

«Qu'est-ce qui t'arrive?

– Dehors! Le mur!»

L'index de Wei balayait le décor filant à toute vitesse. Ça fusait comme du sable, un jour de tempête. Des façades de briques, des cheminées de tôle, des toits en verre aux armatures rouillées formaient des plans diversement éclairés jouant entre eux; par intervalles, un pylône avec des feux de couleurs. Mais tout passait trop vite pour avoir aucun sens.

«Quoi? Il n'y a rien! râla le cheminot.

– Les affiches!»

Maintenant qu'il faisait attention, Cheng les vit en effet. Elles s'étalaient par plaques, comme s'étend le zona sur une peau malade. On comptait par endroits cinq ou six affiches mises l'une sur l'autre, ailleurs de longs alignements qui prenaient, dans la vitesse, l'aspect d'un ruban continu. Des serpentins d'un blanc sale s'élevaient jusqu'au faîte des bâtiments : une danse de dragonneaux de papier. Rien n'expliquait cette frénésie de collage sinon, peut-être, le vœu insensé d'effacer tout aspect du support en dessous.

« Eh bien, quoi ?

– J'ai vu les mêmes, devant la maison. Ça n'est pas normal. Qui peut bien avoir collé toutes ces affiches, en une seule nuit ? »

Wei mania la porte de la locomotive et se pencha dehors. Il descendit deux, trois degrés du marchepied sans lâcher la rampe chromée.

« Fais gaffe !

– Ralentis un peu.

– Pas question. J'ai déjà du retard. »

Le passager s'étira, tendant le bras à s'en démettre l'épaule. Par chance, un caprice dans la trajectoire des rails rapprocha le train du mur, ou le mur du train. Sa main rasait les briques et, par instants, frôlait l'écaille humide des placards.

« Plus près ! » supplia Wei.

Ce fut alors qu'une chose étrange se produisit : fuyant les doigts de l'ancien ouvrier, les affiches s'éparpillèrent. On aurait dit un banc de poissons au sein duquel surgit un prédateur. Un peu plus tard, un peu plus loin, elles s'effacèrent complètement des murs. Les briques qui défilaient le long du convoi étaient nues et régulières.

« Merde ! Pourquoi tu n'as pas freiné ?

– On arrive, de toute façon. »

Un moment après, monsieur Zhang jeta ses sacs vides par la fenêtre, puis bondit à son tour hors de la cabine. Il atterrit dans la neige, une congère profonde que l'ombre d'un bâtiment avait permis d'amonceler le long des rails. Wei se releva et épousseta ses bas de pantalon. Du haut du poste de conduite, Cheng considérait son ami avec perplexité.

« Tu es un drôle de type, Wei. Avec tes affiches et tes bouts de verre... Qu'est-ce que tu gagnes à t'agiter ainsi ? Un jour, il va t'arriver des ennuis. Laisse couler, vieux frère ! Profil bas, ça vaut toujours mieux.

– Tu parles comme ma femme.

– Yun a peut-être raison.

– C'est-à-dire ? »

Le cheminot sortit son gros bras par la fenêtre et, l'air songeur, tambourina la tôle de la locomotive.

« T'es-tu jamais demandé pourquoi les souris sont si nombreuses, pourquoi elles pullulent dans tous les coins ? Quand le train roule, j'en vois cavaler partout : sur les traverses, sur les rails, sur le ballast, il y en a même qui viennent renifler les roues des wagons !

– Nous en tuons beaucoup, à la maison. Le chat ne fait pas son travail.

– Tu vois... Il doit y avoir une raison, à ce qu'il y ait tant de souris ? D'accord, l'espèce est prolifique. Mais ça n'explique pas tout.

– Où veux-tu en venir, Cheng ?

– Les souris sont discrètes... furtives... Si elles

quittent leur trou, ce n'est pas pour prendre l'air ou narguer les chats, c'est parce qu'elles ont faim ! Elles se dépêchent d'y retourner, d'ailleurs, dès qu'elles ont volé un bout de fromage. Personne ne les voit sortir ou rentrer. La plupart du temps, on ne soupçonne même pas leur existence. Voilà la sagesse, quand on est petit et vulnérable !

– Des souris ? s'indigna Wei. Tu nous compares à des souris ? »

Une salive amère venait d'inonder sa bouche, qu'il déglutit avec peine.

« Bah… De petites gens, quoi ! C'est facile à comprendre ! Nous brûlons du mauvais charbon, nous vivons dans les courants d'air, notre tabac empeste et nos souliers sont fichus. Nous comptons pour rien sur la Terre. Quelle est la dernière fois où tu as palpé un billet de cent yuans ? Ah, ah ! Le soleil sera un vieux caillou éteint, mon ami, avant qu'aucun d'entre nous possède le toit sur sa tête !

– Es-tu sûr de ça, Cheng ? »

Wei allait en dire plus, mais il retint sa langue comme on ramène un chien par la laisse. Il se força à sourire pour émousser le regard terrible qu'il dardait sur le cheminot. Déviant les yeux, monsieur Zhang noua les rabats de sa chapka avec les lacets gonflés d'humidité. La bride trop serrée lui mordait la peau du cou et lui coûtait de l'air.

« J'y vais, fit-il, à moitié étranglé. On se voit plus tard.

– Attends !»

Wei ignora l'interpellation mais, trois pas plus loin, la trompe de la locomotive le rappela brutalement à l'ordre. Tant l'avertisseur était puissant, monsieur Zhang sentit une poussée entre les omoplates et s'étala de tout son long dans la neige. Il se remit debout, sonné. Ses tympans l'élançaient. C'était comme si un éléphant facétieux lui avait barri aux oreilles.

«Tu n'es pas fou, non ? cria Wei en tournant un doigt sur sa tempe.

– Attends...», répéta doucement le cheminot.

Cette fois, Cheng descendit l'échelle de la cabine et s'avança, ses bottes maculées d'huile dans les traces profondes laissées par son ami. Il n'alla pas jusqu'à lui mais s'arrêta à portée de voix, comme s'il avait craint, en s'éloignant trop, de rendre la bride à la locomotive qui ronflait dans son dos.

«Quoi ? Qu'est-ce qu'il y a ?

– Wei, j'ai quelque chose à te dire.

– Eh bien, parle ! En voilà, des mystères !

– La ligne va être fermée.

– Quelle ligne ?

– La voie que nous avons suivie, ce matin. Les trains n'iront plus par là. Ils ne passeront plus près de chez toi.

– Ah bon, ils seront détournés ?

– Ça n'est pas ça. La ligne va disparaître. Bel et bien.

Ils vont enlever les rails, les clôtures, démonter les postes d'aiguillage...

– Pour quoi faire ?

– Aucune idée. Mais s'ils se donnent la peine de tout retirer, plutôt que d'abandonner la ferraille aux herbes folles, il doit y avoir une raison. Oui, ils ont sûrement quelque chose derrière la tête ! »

Par un caprice du vent, la fumée grasse qui s'échappait des ouïes de l'automotrice fut déportée vers eux. Une grosse bouffée enveloppa le cheminot, qui toussa et fit un pas de côté. Ses joues avaient foncé, qu'il barbouilla énergiquement de neige. Un peu de fumée aussi avait été rabattue vers le sol. En un instant, le dôme blanc de la congère parut prendre le deuil, couvert sur une large surface d'une limaille ardoisée.

« Tu veux dire qu'aujourd'hui, c'était la dernière fois qu'on roulait ensemble ? vérifia Wei, une nuance de blâme dans la voix.

– La dernière fois, oui…, fit Cheng en se raclant la gorge. Je regrette.

– Ça alors !

– Comment vas-tu faire, pour le charbon ?

– Je ne pense pas au charbon. »

Wei aurait voulu tourner les talons, planter là Cheng et sa machine. Mais la colère qu'il appelait en lui ne venait pas, alors qu'il sentait monter du fond de son ventre, grossir dans sa gorge et affluer sous ses paupières un chagrin véritable.

Depuis dix ans que Cheng le conduisait partout, Wei ne s'était jamais intéressé à la locomotive ni au déroulement de ses voyages clandestins. Or, voilà qu'il se découvrait attaché aux promenades ferroviaires, connaisseur malgré lui des lieux et des moments qui en marquaient les épisodes : tel virage à la sortie duquel se composait un joli point de vue sur le réservoir Zhu'er, tel tunnel si étroit qu'il fallait rabattre le rétroviseur de l'automotrice, tel aiguillage envahi d'églantiers, tel passage à niveau.

Perdre tout ça le désolait, sans qu'il trouvât d'excuse à sa mélancolie – lui-même voulait bien convenir que le décor était sans charme, que la traversée des faubourgs de Shenyang possédait à peu près autant d'attrait qu'une balade en ascenseur du sous-sol au rez-de-chaussée.

Troublé, Wei recula de quelques pas. Mais il se ressaisit, inspira l'air glacé. Son regard qui divaguait revint sur le cheminot.

« Bah, qu'est-ce que j'en ai à fiche ! Si j'ai encore besoin de charbon, j'irai à pied. Je ne te dérangerai plus.

– Il y a d'autres lignes, avança Cheng. Le charbon, peut-être on en trouvera ailleurs ?

– Oui, c'est ça. Ailleurs. »

Wei claqua ses cuisses et brandit son poing au-dessus de sa tête – salut viril peut-être, ou geste de défi. Puis il s'en fut, brassant la neige des deux tibias, les sacs à charbon roulés sous une aisselle, sans se retourner.

À l'école des nues

Meifen tira la grille dans son dos, jusqu'au *clic* du pêne entrant dans la serrure. Des années plus tôt, ce bruit qui rappelait l'éclatement d'une coquille entre les mandibules d'un casse-noix la raidissait d'épouvante. Elle se trouvait dehors, seule et sans défense, livrée aux maraudeurs que sa chair tendre mettait en appétit : voilà ce qu'annonçait le *clic* du portillon.

Maintenant qu'elle avait grandi, quitter la maison ne lui faisait plus peur. C'était une fierté de franchir la grille toute seule, la clef pesant dans sa poche. Sitôt tourné le coin de la rue, Meifen défaisait l'énorme tresse où sa chevelure d'habitude était ramassée (une mesure d'hygiène, selon sa mère) et balayait ses mèches sur le côté, sauf une qu'elle laissait pendre exprès devant ses yeux. Le temps d'enfiler dans ses oreilles les rondelles en mousse des écouteurs, elle se débarrassait aussi de ses chaussures, prenait sa course pieds nus dans la neige, se rechaussait plus loin quand le sang pulsait dans ses orteils, fière d'avoir fait une chose que ses parents sûrement réprouveraient.

Le théâtre où se produisait l'énigmatique « Comité officiel de valorisation du quartier Xisanjiazi » figurait bien sur le plan de la ville. Il existait un raccourci pour s'y rendre. Meifen décida que rien ne pressait et choisit un itinéraire beaucoup plus long. Elle se mit en chemin après le déjeuner, suivit la rue Ziqiang jusqu'à la voie ferrée, franchit les rails et, passé le poste d'aiguillage et un gros bloc de bâtiments sans affectation, entra sur le terrain naguère clôturé qui portait les vestiges de l'ancienne briqueterie.

Quinze ans seulement que la fabrique avait cessé son activité et déjà le site, très délabré, évoquait les ruines d'une cité antique moulue par les siècles. C'était un domino de tuiles sales, de moellons en morceaux et de plâtre en miettes, soit jetés pêle-mêle sur le sol, soit montés en tas remuants qui s'aplatissaient au moindre coup de vent.

De briques entières, bizarrement, on n'en ramassait plus sur le site. Celles encore crues, dans leurs moules, sous les voûtes éboulées des fours retournaient à la terre, fondues ensemble par les pluies ; celles durcies qui composaient les murs avaient été prélevées à l'usage d'autres constructions. Sur ce puzzle flottait une odeur de linge ou de craie mouillée qui piquait un peu la gorge. Une brume ocre hantait l'endroit, les jours d'été.

Au total, l'érosion du vent et de l'eau, la destruction sauvage ou méthodique de tous les bâtiments n'avaient laissé qu'une chose debout : une cheminée maçonnée dont la hauteur et l'importance dissuadaient les chapardeurs. S'élevant d'une trentaine de mètres au-dessus de l'usine, le fût en briques rouges corseté d'anneaux de fer semblait s'amincir en montant, par l'effet de la perspective. La cheminée avait l'air de fléchir, et de fait elle penchait : privée du soutien d'un entrepôt démoli, elle s'inclinait de trois degrés vers le nord – vers vous, si vous arriviez de la voie ferrée. Voilà pourquoi Meifen ne venait jamais de ce côté mais, sagement, contournait par la gauche ou par la droite le fourneau d'où jaillissait l'édifice.

De près, la cheminée semblait moins imposante. On n'en voyait que la base et les premiers segments, vision tronquée qui lui retirait tout élan. Le pied formait un renflement, comme le bulbe de certains champignons. D'autres détails se révélaient : un numéro, 760, peint en chiffres énormes sur l'embase rugueuse, et certaines briques faisant saillie sur la maçonnerie, afin sûrement de permettre l'ascension du fût qui n'avait pas d'échelle.

Meifen posa son sac et retira ses souliers, bougeant ses orteils pour les dégourdir. À la maison, elle passait pour une fille nonchalante qui n'aimait pas l'exercice. Pourtant, elle n'eut aucune hésitation en attrapant une brique au-dessus de sa tête, l'autre bras s'étirant déjà vers une brique plus haute. À la regarder faire, escaladant l'immense tuyau, jouant des pieds et des mains pour s'assurer les meilleures prises, on songeait aux habitants d'îles à cocotiers qui montent agilement le long des troncs d'arbres.

En trois minutes à peine, elle atteignit la couronne,

hérissée de longues piques en fer rouillé. Un manchon de ciment entourait le sommet, telle la margelle d'un puits. Des décennies de cuissons dans le fourneau en contrebas avaient chargé les briques d'un dépôt noir, une croûte de charbon impossible à gratter, comme si elle pénétrait l'argile en profondeur. Meifen se frotta énergiquement les paumes puis s'assit à la place habituelle, sur le bord intérieur du manchon, le regard tourné vers la plaine où d'autres cheminées rehaussaient le parterre gris des manufactures.

La première fois que Meifen avait fait l'ascension, des années auparavant, les bâtiments de la briqueterie étaient intacts et la cheminée, au-dessus du four qu'on venait d'éteindre, rayonnait un reste de chaleur. Pas un instant, elle n'avait pensé au danger, à la chute possible. Curieuse de la vue qu'on pouvait avoir, là-haut, l'adolescente avait tenté l'escalade et était parvenue au faîte très simplement, sans vertige ni essoufflement. Une déception l'y accueillit, cependant : le paysage qu'on découvrait depuis le sommet n'apportait rien de neuf, c'était le même qu'à plat, à ceci près que l'élévation reliait des sites et des bâtiments distants au sol de plusieurs kilomètres. Elle avait espéré que la mer borderait l'horizon du sud-ouest ou qu'à l'opposé, vers l'est, se dresseraient les montagnes Huashan ; ce n'était pas le cas.

Meifen plissa les paupières, la tête renversée en arrière pour scruter les nuages qui l'enveloppaient de leur ombre.

Beaucoup d'usines avaient fermé depuis sa première visite. À cette époque, leurs fumées blanches, noires et jaunes qui empestaient, tantôt traînaient au sol où elles nourrissaient des brouillards à l'odeur chimique, tantôt s'élevaient par la grâce d'un coup de vent. Certaines s'amarraient aux grands vaisseaux des nuages, en partance pour l'horizon. Mais aujourd'hui, les fabriques chômaient et les cheminées avaient refroidi. Il en résultait, dans l'ensemble, une nette épuration de l'atmosphère. Les poisons s'étaient dissipés. À la tombée du jour, on voyait poindre des étoiles : les habitants âgés assuraient n'en avoir pas compté une seule au-dessus de Shenyang depuis presque deux générations.

Ce jour-là aussi, le ciel était pur. Les quelques nuages charriés par le vent du sud, le vent de la mer, avaient des contours nets, telle une découpe de papier blanc par des ciseaux adroits. Plats à leur base, comme s'ils prenaient appui sur une couche d'air plus dense, ils poussaient là-haut des bourgeons de gaz éblouissant. L'azur en paraissait plus sombre, confinant près du zénith à la nuit étoilée.

Tout de suite, Meifen vit des formes, des compositions. Dans un angle du ciel, un rhinocéros aux cornes vaporeuses menait la charge contre une forteresse de buée. La forteresse vaincue s'aplatit, perdit un moment consistance avant d'engendrer une carafe au col long. Il y eut d'autres métamorphoses, partout sur la voûte bleue, que Meifen suivit d'un œil intéressé. Le sens des nuages et de leurs évolutions, certains le cherchaient dans le *Yi Jing*, le livre des mutations, et croyaient déchiffrer une écriture en plein ciel. Pour Meifen, c'était plutôt une histoire vibrant d'acteurs et de péripéties, riche d'innombrables épisodes tel un rêve à rebonds, que les nuages en mouvement jouaient sous son regard. Quand les nuages désertaient le ciel, l'histoire était finie; il était temps d'en tirer l'enseignement.

Le rhinocéros, la forteresse, le flacon d'alcool de riz, et encore la flèche, le minaret, l'oiseau encagé, le cerceau qui vacille, les baguettes rompues... Tout cela défila au ciel sans d'abord se relier; il arrivait que les prophéties fussent confuses.

«Il n'y a rien à voir, aujourd'hui», soupira Meifen.

Sa tête levée vers les nuages s'inclina, au prix d'un léger malaise. Elle laissa se dissiper le vertige, les doigts agrippés au bord de la cheminée. Alors, lentement, Meifen passa une jambe vers l'extérieur et tâta les briques du bout des orteils. Son pied sentit aussitôt la boutisse qui sortait de la paroi, premier jalon de la descente. Il s'y appuyait déjà quand une figure se dessina dans l'esprit de l'adolescente, un début d'ordre dans les impressions éparses qu'avait laissées sa contemplation des nuages. Elle se figea, un pli entre les sourcils.

Cette figure n'appelait rien de connu, et l'imagination la plus libre n'aurait pu lui adresser aucune ressemblance, mais Meifen la sentait retorse et malveillante – elle la devinait telle, non par la lente opération du raisonnement mais par la saisie de l'instinct. Pareillement, devant des baies indigestes, sans les avoir goûtées jamais, l'animal flaire le poison et se détourne.

Un tremblement agitait ses mains, qu'elle attribua à sa position périlleuse, une jambe pliée dans la cheminée et l'autre en l'air, trente mètres au-dessus du sol. Sa nuque se hérissa de peur, comme à l'approche d'un aimant les poils électrisés. Elle prit une grande inspiration et s'obligea à passer la deuxième jambe. Ensuite, elle descendit – d'abord posément, en mesurant tous ses gestes, puis de plus en plus vite car elle voulait en finir.

Meifen dévala les derniers mètres presque en tombant. Elle atterrit sur le tas des débris au pied de la cheminée, roula plusieurs fois avant d'épuiser son élan. Sa chute souleva une poussière rouge zébrée de moucherons.

« Fait chier ! » jura l'adolescente en palpant sa manche déchirée.

De la terre lui remplissait la bouche, qu'elle cracha de côté. Puis elle enfila ses chaussures et dédia un long moment à brosser ses cheveux, penchée sur une flaque au creux d'un tuyau.

Soudain, elle poussa un cri. La flaque reflétait une silhouette d'homme. En un instant, Meifen fut sur ses jambes, tous les muscles en alerte, les doigts serrés autour d'un morceau de brique. L'excitation fut si vive qu'elle ne put retenir le projectile – lancé au hasard, il passa loin de la cible et alla frapper un mur.

«Eh! Du calme!» cria l'homme alors qu'elle ramassait déjà un autre parpaing.

Meifen pressa sa main libre sur sa poitrine. Son cœur tonnait si fort qu'il tordait ses côtes; elle eut peur de les casser, comme on craint d'un lion furieux qu'il démolisse sa cage.

«Laissez-moi tranquille! hurla Meifen.

– Arrête ton cinéma, veux-tu?»

Son regard se posa sur l'inconnu qui l'avait surprise. Il n'avait pas l'air d'un rôdeur. Ce devait être un ouvrier du bâtiment, déduisit-elle des bandes réfléchissantes collées sur sa veste imperméable. Il portait un casque de chantier d'un jaune pétaradant, avec une jugulaire en cuir logée au dernier cran pour caler la coiffe sur une tête insuffisante, une tête de poupée mal assortie au corps massif. Une torche longue comme une palanche complétait cette panoplie inoffensive d'homme de chantier.

La torche était éteinte mais l'inconnu, pour se donner une contenance ou parer le prochain coup, la braquait farouchement dans sa direction.

«Qu'est-ce que tu fais là, toi?

– Ça me regarde.

– Ton nom?

– Je ne vous le dirai pas.

– L'accès du terrain est défendu. Zone interdite!»

proféra l'ouvrier avec un geste en cercle, un grand mouvement du bras qui semblait balayer l'océan ou une chaîne de montagnes.

Un talkie-walkie boueux pendait à sa ceinture, qu'il décrocha pour prendre une communication. «Une gamine, je m'en occupe», postillonna l'ouvrier dans la grille du microphone.

«Je pourrais dresser une contravention, tu sais? Personne ne vient ici, sauf autorisation spéciale du Comité de valorisation ou du vice-maire! Nous chassons même les oiseaux, avec des effaroucheurs à ultrasons. Il y a des pièges pour les rats et des trappes pour les chiens errants. Tu n'as pas lu les panneaux?

– Quels panneaux?

– Ma parole. Tu débarques…»

L'air ahuri de Meifen parut adoucir l'homme au casque qui souleva ce dernier pour aérer son crâne chauffé par le plastique. À l'abri du couvre-chef, les cheveux ondulaient sur la peau blanche, creux et bosses, telles des algues s'étalant sur un rocher.

«Et puis, c'est dangereux d'escalader la cheminée. Tu pourrais te tuer!

– Qu'est-ce que vous en savez? Vous n'êtes pas de Shenyang. Vous avez l'accent de Canton!

– Pas besoin d'habiter le coin pour savoir ce qu'on risque à tomber d'une hauteur pareille! Les lois de la gravité sont universelles, ma petite! Mais toi, tu vis où?

– Tout près…, énonça Meifen après une hésitation. Avec mes parents, mon grand-oncle Hou-Chi et madame Cui, ma grand-mère.

– Je ne te demande pas ta généalogie. Dans quelle rue ?

– La rue Ziqiang. »

L'ouvrier reprit son talkie-walkie qui, de plus près, se révéla un genre de téléphone multi-fonctions. L'autre face incluait un écran que l'homme essuya du revers de la main. Il ôta un gant pour déplacer ses doigts sur le pavé tactile.

« Il n'y a pas de rue Ziqiang.

– Comment ça ?

– J'ai le plan du quartier sous les yeux. Pas de rue à ce nom.

– Votre plan est faux.

– Tu te moques de moi ? »

L'homme accrocha l'appareil à sa ceinture. La torche au poing, il fit de grands moulinets vers la voie ferrée.

« J'ignore pourquoi tu es venue ici, petite, et je ne veux pas le savoir… Débarrasse-moi le plancher ! Si le patron te voit, il va me passer un savon de tous les diables, et je devrai te coller une amende. Allez, ouste ! Tu n'as qu'à longer les grilles de ce côté, les collègues travaillent à l'autre bout…

– C'est qui, votre patron ?

– Monsieur Fan. Pas le genre qu'on embête, tu vois. Je te souhaite de ne jamais faire sa connaissance. »

Meifen eut l'impression déplaisante qu'on versait de l'eau glacée entre ses omoplates. Un frisson remonta son échine jusqu'à sa nuque, où il laissa un cataplasme froid. Elle ramassa son sac par terre, calotta pour la forme le faux velours auquel adhérait, indélébile, la poudre rose des briques concassées.

« Adieu, petite. Prends soin de toi ! »

L'ouvrier s'éloignait déjà, la torche battant sa jambe et ses hautes bottes en caoutchouc. Meifen attendit un moment pour quitter l'ombre de la cheminée, qui la couvrait comme une aile. Aussi vite qu'elle put, trottant courbée d'un mur à l'autre, elle rejoignit la voie ferrée. Un vieux poste d'aiguillage lui offrit l'hospitalité. Pendant qu'elle reprenait son souffle dans la guérite sans porte ni fenêtre, l'adolescente risqua un coup d'œil en arrière, pour s'assurer qu'on ne la suivait pas. Non, personne n'était à ses trousses car tout le monde avait bien trop à faire.

Perchée au sommet de la cheminée, Meifen n'avait pas vu les gros camions arriver ni les ouvriers débarquer avec leur matériel. Ils étaient des dizaines à présent dans l'ancienne briqueterie, occupés les uns à dresser des barrières, les autres à piloter des engins excavateurs. Trois pelles mécaniques déchargées d'un fourgon étaient à l'œuvre, moteurs crachant une fumée trouble, godets d'acier mordant des collines de gravats. Une équipe se vouait particulièrement à la voie ferrée, qui disposait d'outils pour couper et déplacer les rails. Ils en avaient déjà déposé une bonne longueur sur un plateau mobile, à côté des traverses rangées en piles régulières. Tant d'activité brassait beaucoup de poussière, une nuée ocre engloutissant hommes et matériel. Seule émergeait la haute cheminée, jaillissant de cette mousse rose comme un bâtonnet de barbe à papa.

Meifen resta un moment à suivre les allées et venues des ouvriers que la distance réduisait à la condition de bonshommes remuants et leurs machines, à l'état de jouets pour petits garçons. Elle ne trouvait aucun sens à ces manœuvres, pas plus qu'elle n'avait compris la teneur des figures ébauchées par les nuages. Mais, comme tantôt, ce spectacle éveillait en elle de sourds pressentiments.

Soudain, Meifen se rappela la conférence où son père l'avait envoyée. Elle lut sa montre. Les aiguilles, profitant de sa distraction, avaient fait le tour du cadran.

«Papa va me tuer!» fit l'adolescente.

Elle attrapa son sac et se rua dehors.

Rouge. La première sensation de Meifen à l'intérieur du théâtre. Deux rideaux rouges aux plis opulents drapaient la scène, surmontée d'une bannière de même ton avec cette inscription en caractères d'or, massifs et débordants, dans le style dit des scribes :

COMITÉ OFFICIEL DE VALORISATION
DU QUARTIER XISANJIAZI

Une nappe rouge couvrait toute la longueur de la table dressée face au public, laquelle présentait symétriquement deux fois cinq conférenciers en costume sombre. Parmi les bouquets un peu raides qui jalonnaient l'avant-scène, un imposant massif de géraniums fleurissait les pieds du principal orateur. Rouges aussi les tuniques en soie des trois hôtesses debout, en retrait de la table, dont la fonction parut seulement décorative avant qu'une d'elles s'animât pour porter un micro à quelqu'un dans la salle.

L'adolescente n'avait pas osé s'asseoir dans les premiers rangs, pourtant assez dégarnis, comme du reste l'ensemble des sièges qui n'accueillaient qu'un public clairsemé. Elle avait choisi, tout au fond, un simple strapontin dont le ressort trop tendu soulevait ses fesses et menaçait de l'éjecter.

C'était une place peu confortable, de celles qu'occupent normalement, par nécessité, les spectateurs arrivés en retard ou ceux qui prévoient de partir avant la fin. Les portes au battement intermittent soufflaient sur sa nuque un air glacé avec les bruits de la rue. Chaque personne qui entrait tapait ses semelles pour les débarrasser de la neige, dont les débris fondaient vite et salissaient aval tout l'escalier. À un certain moment, une hôtesse prévoyante déroula un grand paillasson où les nouveaux venus purent frotter leurs pieds. Cette péripétie absorba toute l'attention de Meifen qui, par conséquent, manqua l'essentiel des interventions.

Au demeurant, elle fut longtemps sans y comprendre grand-chose. Dans le théâtre à moitié vide, sous le plafond de la grande salle qui réverbérait confusément les sons, les voix des orateurs lui parvenaient troubles et affaiblies.

« … réunis aujourd'hui pour vous présenter un projet qui affecte directement… de gauche à droite, monsieur Cai, ingénieur des carrières, spécialiste… de l'université Fudan à Shanghai… »

Cela ressemblait au ramage d'un transistor, quand les piles s'épuisent. Le son allait et venait, ondoyait par vagues. Meifen subissait une légère nausée, ballottée dans la houle acoustique.

« … préambule, vous décrire la carte suivante, établie d'après un relevé topographique du quartier… pourcentage du bâti est dégradé et vétuste… trait rouge délimite… »

Plus le temps passait, moins elle était à son aise. Qu'est-ce qu'elle faisait ici ? Même à travers la toile du jean, le tissu rêche du strapontin lui causait des démangeaisons. Elle se demandait ce qu'éprouvaient les hôtesses dans leur uniforme, ce fourreau qui comprimait les hanches et épatait risiblement la poitrine. Certaines filles devaient avoir son âge. Il y en avait une qui mâchait du chewing-gum.

Meifen logea son regard au plafond, tapissé d'une moquette beige très sale. Un demi-siècle, sûrement, qu'on n'était pas monté là-haut faire la poussière. Puis elle étudia les numéros des sièges, écrits à l'occidentale dans des ovales de laiton doré.

« … l'arrêté municipal de la ville Shenyang numéro 18… interviendra au plus tard le 9 octobre 2015… »

Il y avait un carnet dans son sac, qu'elle n'osait pas sortir. Elle croyait que le moindre geste ferait se retourner les gens. On la regarderait de travers, l'orateur peut-être s'interromprait pour la pointer du doigt. Non, c'était idiot de penser ça. Meifen décapuchonna un feutre et traça quelques caractères. Ses doigts s'agaçaient d'écrire de cette façon. Ç'aurait été plus simple si sa mère lui avait laissé le téléphone.

« La zone concernée s'étend du nord de la rue Wendong jusqu'à l'ancienne briqueterie, sur une superficie de… détails communiqués ultérieurement…. »

À un certain moment, les spectateurs se levèrent et refluèrent vers les portes de la salle. Meifen ne s'y attendait pas. Son pouls s'accéléra. C'était peut-être défendu de prendre des notes à cette réunion, comme de filmer l'écran au cinéma ? Venait-on la houspiller parce qu'elle avait dérangé tout le monde ? Mais non, arrivés à sa hauteur, les gens continuèrent de monter l'escalier sans lui prêter attention.

Elle fut l'une des dernières debout et, dans sa hâte à réunir ses affaires, laissa échapper le carnet qu'elle ramassa entre les jambes. La salle se vidait bon train, par les deux portes à la fois. Les hôtesses, rangées de part et d'autre de chaque ouverture, souhaitaient la bonne journée avec une courbette : simple hochement de tête pour le commun, plongeon de tout le buste pour les cadres en costume. Meifen sortit sur le trottoir, déambula autour du bâtiment puis repassa la porte et aborda une hôtesse dont les traits lui inspiraient confiance.

«Bonjour. De quoi ont-ils parlé ?

– Comment ?

– La réunion… Qu'est-ce qu'ils ont dit ?

– Mais tu étais là, non ?

– Je n'ai pas bien entendu», s'excusa Meifen qui piqua un fard.

L'hôtesse eut un reniflement amusé et lança à sa collègue, en train de fermer la porte, des mots que Meifen ne comprit pas. Elle parlait un dialecte inconnu, mais il était facile d'entendre l'ironie dans sa voix haut perchée. Les deux amies toisèrent Meifen de la tête aux pieds, depuis ses cheveux grossièrement balayés sur le côté jusqu'à ses mocassins pas chers, de carton semblait-il, dont le bout râpé restait gris sous l'épaisseur du cirage. Meifen flamba de plus belle.

«Désolée, lâcha enfin la jeune fille. Je ne peux pas te renseigner.

– S'il te plaît ! insista Meifen en accrochant la manche de l'uniforme. Il faut que je sache !»

L'hôtesse dégagea son bras avec un peu d'humeur.

«N'abîme pas ma veste !

– Tu ne veux pas m'aider ? Je dois faire un compte

rendu à mon père et, s'il apprend que je n'ai rien écouté, ça va être la guerre à la maison...

– Écoute, ma jolie, je regrette ce qui t'arrive ! Mais je ne suis qu'une hôtesse ! Demain, j'accueillerai les visiteurs d'un salon d'électroménager, à Fuxin. Et toute la semaine prochaine, je serai à Changchun pour un symposium de chirurgie dentaire ! Tu comprends ? Je n'ai pas le temps de m'intéresser à tout ce qu'on raconte... Ce n'est pas mon travail. Allez, rentre chez toi. Je dois me changer, maintenant...»

Une telle détresse brouilla le visage de Meifen que l'hôtesse s'apitoya.

«Tu veux un chewing-gum à la pastèque ? » proposa-t-elle, un étui en carton mou tendu vers l'adolescente.

Meifen n'en avait pas envie mais elle l'accepta quand même, pour n'avoir pas à dire non. La jeune fille avait déjà disparu, traînant derrière elle un bruit de talons dont le plafond moquetté absorbait l'écho comme un buvard. Il n'y avait plus personne dans la salle, qu'un technicien en train de débrancher les micros sur la scène. À coup sûr, lui ne savait rien.

Meifen poussa la porte des deux bras et fut de nouveau sur le trottoir. Le blanc de ses yeux était humide, bientôt roulèrent des larmes qu'elle essuya sur ses joues.

«Qu'est-ce que je vais faire ? »

Elle resta là un moment, debout sous la neige qui commençait de tomber, sans même penser à s'abriter sous la galerie du théâtre. Le chewing-gum, une dragée verte, logeait toujours au creux de sa paume. Meifen le prit dans sa bouche et se mit à mâcher. Peu après, elle souffla une sphère élastique de la grosseur d'un pamplemousse. Mais la bulle creva et devint un mâchouillis sur l'ongle de son petit doigt, relié à ses dents par un fil luisant de salive.

À cent mètres de là, un pavillon, flanqué d'un kiosque à loterie, protégeait les gens qui attendaient le bus. Meifen se joignit à eux. La chaleur que dégageait la petite colonie lui donna du réconfort. Un homme assez grand, en imperméable, et une femme pourvue d'un parapluie bordaient le rassemblement. Ainsi, les rafales de côté n'atteignaient pas les personnes au centre du groupe, qui se trouvaient par hasard ou par discrète sélection les plus vulnérables (deux enfants, un couple de vieillards, Meifen elle-même qui n'était pas habillée pour le mauvais temps). Cette idée la consola.

Quand l'autobus arriva, l'adolescente prit sa place machinalement dans la file des voyageurs. Les portes se replièrent avec un bruit de soufflet aplati, et l'autobus entra dans la circulation.

Le nœud qui fait la corde à pendre

Les murs de la maison étaient chancelants, et friable, le mortier entre les briques. Mais la partie la plus faible restait le portillon, fiché entre deux hautes parois au numéro 74 de la rue Ziqiang. À l'origine en métal, la grille se composait aujourd'hui surtout de rouille à laquelle, par endroits, continuaient d'adhérer des copeaux de l'ancienne peinture, couleur foncée d'huile rance ou d'urine hépatique. On disait pour rire qu'un piéton étourdi serait passé au travers. Ce morceau d'épave n'attachait plus au mur que par le gond du bas et, quand on le poussait, donnait l'impression de tomber plutôt que de s'ouvrir.

Pourtant, un cambrioleur n'aurait pu pénétrer chez les Zhang sans donner aussitôt l'alarme. Car, s'il ne fermait rien et n'empêchait personne, le portail en revanche savait crier. Il possédait un timbre affreux, aigu, strident, une vraie voix de sorcière que libérait le moindre dérangement du panneau rouillé. Ainsi défendait-il la propriété des intrusions, mieux sans doute qu'aucun molosse. Les Zhang n'avaient qu'à tendre l'oreille pour suivre les allées et venues.

Ce fut vers la fin de soirée que le portail fit entendre sa plainte – peu après que le chat eut bondi de la table vers un trou sous l'évier, son issue de secours. Bientôt, des semelles raclèrent le seuil en y laissant des brisures de neige. L'ouverture de la porte tendit un filet d'air glacé en travers de la pièce, dont des affiches et un calendrier parurent brièvement s'alléger, comme soustraits à la pesanteur. Wei entra.

« Me voici ! C'est papa ! » clama une voix transparente, où semblaient tourbillonner les flocons du dehors.

Yun s'avança vers son mari, une couverture pliée au bras. Un baquet d'eau chauffait déjà sur le poêle, ses parois grêlées de gouttes qui enflaient et dévalaient la pente en fer-blanc. Après avoir traîné deux sacs de charbon à l'intérieur, Wei se frictionna la tête avec une serviette mais ne voulut pas s'asseoir et, quand on lui servit du bouillon, dit qu'il n'avait pas faim. Sa part devait revenir à Meifen, indiqua-t-il, parce qu'elle était la plus jeune et continuait de grandir.

« Où est-elle passée, au fait ? » s'enquit monsieur Zhang qui ne voyait sa fille nulle part alors qu'elle avait, comme le chat, ses places familières dans la maison.

« Je suis là. »

Meifen sortit de derrière le paravent, une serviette drapant son corps humide et une seconde, plus petite, nouée autour de sa tête qu'elle surmontait d'une vrille de tissu jaune. De la buée fit mouvement avec elle, une vapeur dont les visages les plus proches reçurent l'embrun tiède. Il était remarquable qu'avec une éponge et une bassine en fer-blanc, plus deux serviettes râpées à l'usage de toute la famille, Meifen montrât ces atours de princesse au bain, de comédienne au changement de costume. Il y avait là, songea son père, un mystère féminin.

« Tu jouais à cache-cache ? »

Meifen haussa les épaules, d'où la serviette glissa un peu. Mais sa poitrine avait assez poussé pour prévenir désormais ce genre d'incident – d'autant qu'elle s'annonçait plutôt ronde, au contraire de sa mère que la nature avait gratifiée de deux modestes clochetons, cousus sur sa poitrine comme des boutons sur des pantalons. L'adolescente refit, plus serré, le nœud de la serviette sous son aisselle.

« Maman, tu peux me sécher les cheveux ? »

Meifen se jucha sur le tabouret près de la fenêtre et, le cou en arrière, abandonna ses longues mèches aux mains de Yun. Madame Zhang tenait la tête de sa fille au creux de la serviette foncée d'humidité. Ses doigts allaient et venaient par-dessous, déroulaient les boucles, essoraient les cheveux dans les plis du tissu éponge. Parfois des brins emmêlés l'obligeaient à filer la toison comme on file du chanvre sauvage, avec délicatesse mais fermeté, pourvue d'un peigne ou de ses ongles seuls.

L'ampoule était trop loin pour les éclairer : Yun avait apporté une bougie, collée au rebord de la fenêtre par une goutte de cire fondue. La flamme nappait les visages des deux femmes et leurs mains d'une chaude coloration, comme si les baignaient perpétuellement les rayons d'un soleil couchant. Elle tendait dans la pièce des ombres démesurées, immenses silhouettes qui s'étalaient sur le sol et léchaient jusqu'au poêle, à l'autre bout de la pièce.

Le tableau que composaient ensemble la mère et la fille plongea Wei dans une rêverie heureuse. Il avait des soucis que cette contemplation parvint à suspendre un instant, comme distrait d'un chagrin l'absorption d'une friandise. Son regard flottant croisa celui de Yun. Les époux se sourirent.

« Alors, Meifen ? Tu es allée à cette réunion ?

– Quelle réunion, papa ?

– La réunion d'information. Rappelle-toi, l'affiche sur le mur…, précisa monsieur Zhang, en traçant dans l'air un cadre invisible.

– Oui, j'y suis allée…», répondit sa fille, les yeux au plafond.

Elle avait l'air d'avouer une maladresse, pile d'assiettes glissée des mains et fracassée sur le sol.

« Alors ?

– Ils n'ont rien dit d'intéressant.

– Comment ça ?

– Il va y avoir… des travaux.

– Quel genre de travaux ?

– Pour améliorer les égouts, je crois.»

Wei tapota ses joues engourdies par le froid et recula, bras croisés, au fond de sa chaise. Madame Zhang prit la relève, rappelant doucement l'attention de sa fille par le tiraillement des mèches mouillées.

« Aïe ! Tu me fais mal !

– Meifen, ton père t'a posé une question. Peux-tu répondre clairement, s'il te plaît ?

– Je suis allée à la réunion, maman, je te jure ! Ce n'est pas ma faute si je n'ai rien compris !

– As-tu pris des notes ?

– Non.

– Eh bien, tu aurais dû.»

Meifen secoua la tête pour libérer ses cheveux des doigts de sa mère. Ce n'était pas facile de quitter d'un bond le tabouret boiteux de la fenêtre, pourtant l'adolescente s'en échappa d'un coup de reins, si brusquement que la bougie roula par terre. Le chat prit la fuite au ras du sol.

«Où vas-tu?»

La maison n'offrait pas d'endroits où bouder. Meifen se dirigea d'abord vers la chambre où madame Cui faisait la sieste, puis vers la porte dont son père barrait l'accès, avant de retourner derrière le paravent. D'un coup de pied, elle fit valser la cuvette.

«On aura tout vu! soupira Yun, la serviette encore dans les mains.

– Laisse. Ça n'est pas grave…, tempéra monsieur Zhang.

– Wei, tu nous caches quelque chose! Tu n'as même pas changé de vêtements depuis que tu es rentré… Veux-tu un pantalon sec?»

Le chef de famille resta dans ses habits mouillés, battant la semelle autour de la table ou suivant du même pas bizarre, à la fois rapide et indolent, les diagonales encombrées de la pièce. Par sa faute, le programme télévisé connut des suspensions gênantes, chaque fois qu'il passait devant le poste – sans se presser ni s'excuser ni courber la tête, dénonça l'oncle Hou-Chi. Lequel se récria d'indignation quand monsieur Zhang, lassé à son tour des gémissements du vieillard, pressa l'interrupteur de l'appareil.

Ce fut un silence inhabituel à cette heure, un silence d'eaux mortes ou de quai désert. Il fit l'effet sur tous d'une immersion désagréable. Des bulles gonflaient et crevaient dans les conduits d'oreilles. Certain *flic* et *flac* derrière l'évier n'avait jamais été entendu, qui prit dans le calme un relief angoissant. Jamais non plus le sonotone de l'oncle Hou-Chi n'avait paru si vide, un coquillage inhabité roulant au fond des mers. Il eut un tressaillement quand retentit, amplifiée jusqu'au cri, la voix du chef de famille :

« Il y a un problème, avec le charbon. Cheng n'ira plus à l'entrepôt. Il va falloir chercher ailleurs.

– Quoi ?

– Tu m'as bien entendu.

– Cheng ! Je t'avais dit qu'on ne pouvait pas lui faire confiance !

– Ce n'est pas sa faute. La ligne va être coupée. Plus aucun train ne passera par ici.

– Qu'est-ce qu'on va faire ? »

Cette question, il semblait à Wei l'avoir entendue tant de fois. En somme, les Zhang ne prononçaient pas de phrase qu'elle ne rythmât, virgule anxieuse, ou plus souvent ne conclût d'un point pathétique. La réserve de charbon s'épuisait, *qu'est-ce qu'on va faire ?* Le propriétaire exigeait le paiement du loyer, *qu'est-ce qu'on va faire*? La compagnie d'électricité les menaçait d'une coupure, *qu'est-ce qu'on va faire*?

Certes, la boîte en carton cachée dans une niche, à l'angle sud de la maison, offrait une solution immédiate à tous ces problèmes, mais Wei avait promis à ses parents de ne pas y toucher, de ne pas en soustraire un seul billet avant que la somme, calculée au yuan près, fût réunie en totalité. Honorer ce serment avait été plus ou moins simple, au fil des années et au gré des circonstances. Il tirait sa force, bien sûr, du décès de Bao et de Fang qui lui conférait une valeur sacrée et semblait menacer le parjure de représailles surnaturelles. En quelques occasions, pourtant, la famille avait pressé Wei d'entamer le pécule. Sans succès. Wei tenait bon.

Cette fois, ce fut monsieur Zhang qui se hissa jusqu'à la cachette de la boîte en carton, la sortit pour l'emballer dans un sac plastique à l'effigie d'un supermarché. Il avait le visage grave, et dans ses gestes la pesanteur des grandes décisions.

« J'ai réfléchi, fit-il en logeant le paquet sous son bras. Inutile d'attendre. Je vais chez monsieur Fan aujourd'hui.

– Tu es sûr? s'inquiéta Yun.

– Oui.

– Mais la nuit va tomber.

– Qu'elle tombe, si je ne suis pas dessous. »

Wei sourit à sa femme, colla ses lèvres aux siennes. Comme elle s'écartait, il la retint par le coude. «Yun, tu te rappelles, notre anniversaire de mariage? Je t'avais promis que nous le fêterions.

– Ça ne fait rien, Wei. Nous attendrons une meilleure occasion.

– Comment? Mais j'avais donné ma parole! Qu'est-ce qu'un homme qui renie sa parole? Allons, ouvre la main.»

Madame Zhang tardant à réagir, Wei pressa son pouce sur les veines du poignet. Yun déplia les doigts. Au fond de sa paume, qui n'était pas plate mais cuite et vallonnée comme une galette paysanne, roula quelque chose de pointu et de dur.

«Qu'est-ce que c'est?

– C'est mon cadeau. Je m'excuse, je n'ai pas eu le temps de l'emballer comme il faut.»

Yun baissa les yeux mais Wei, qui s'y attendait, prit le menton de sa femme et lui releva la tête.

«Ne regarde pas! Pas tout de suite!

– Où as-tu trouvé l'argent?

– C'est mon affaire… Écoute, Yun. Ce cadeau a de la valeur. Une grande valeur, peut-être. Si ça tournait mal pour moi, là-bas, tu pourrais le revendre. Tu en aurais sûrement un bon prix. De quoi voir venir pendant un an ou deux… Compris? N'essaie pas de le garder. Si tu n'as plus de mes nouvelles, vends-le sans hésiter!

– Qu'est-ce que tu racontes?

143

– Un homme qui se promène la nuit avec un paquet d'argent sous le bras, cet homme n'est pas en sûreté.

– Tu me fais peur, Wei. Attends au moins qu'il fasse jour ! »

Wei sourit, embrassa sa femme, sourit plus largement, fit non de la tête.

« Je t'aime, Yun. »

Monsieur Zhang boutonna l'une sur l'autre ses deux vestes d'hiver. Il jeta sur la maison un regard mélancolique, celui qu'on porte, à travers le hublot d'un avion, sur un pays qu'on ne reverra plus. La porte se referma sur lui.

Le conte
des petites gens et des grands espoirs

Ce qu'il a sous sa veste

Tout de suite, Wei regretta d'avoir choisi cette moto-taxi parmi les cinq à disposition. Certes, le chauffeur lui avait fait un prix, parce que Wei occupait la dernière place sur le porte-bagages et tenait le parapluie abritant le pilote et les deux passagers. Mais il payait ce modeste rabais de beaucoup d'embêtements. À chaque virage, la toile trop lâche du pépin se gonflait comme une voile et déviait la moto soit vers le fossé, soit vers les pare-chocs des autos. Pire, le gros ventre du second passager reje-tait Wei loin en arrière, presque à s'asseoir sur le garde-boue, quand l'unique pot d'échappement lui rôtissait férocement le mollet.

« Quand est-ce qu'on arrive, grand-père ? » râla Wei en levant sa fesse gauche qui s'ankylosait. Une minute plus tôt, il avait bougé la droite, elle aussi courbatue.

Le vieux au guidon se tourna vers son passager. Un brin de barbe, sèche et filandreuse comme une touffe de

147

lichen, voletait à l'entour de ses joues plates. Une belle figure d'estampe, songea Wei. Il s'imagina chevaucher la moto du sage Tchouang-tseu.

« Qu'est-ce que tu dis ? hoqueta le vieillard.

– C'est encore loin ?

– Cinq minutes ! » assura le taxi en dépliant trois doigts de la main.

Il eut aussi un sourire – si pouvaient s'appeler sourire le trou béant de ses mâchoires et quelques dents pointant de travers, telles les piles envasées d'un vieux pont.

« Accélère ! Une moto, vois-tu, ça se faufile dans la circulation. Ça ne reste pas au bord, avec les charrettes ! Et cette poignée, là, c'est pour mettre la gomme ! »

Le pilote donna un mol coup de guidon pour esquiver un autobus qui fonçait sur eux. En passant à leur hauteur, le bus roula dans une flaque. Une gerbe d'eau éclaboussa jusqu'au trottoir opposé. Wei indifférent couvrit sa cigarette du revers de la main.

« Tu es pressé ? s'intéressa Tchouang-tseu.

– J'ai rendez-vous.

– Où ça ?

– Chez mon propriétaire.

– Je vois ! Des loyers en retard.

– Ah, ah ! Tu n'y es pas du tout, grand-père !

– Un arriéré…, s'entêta le vieux. Sinon, pourquoi irais-tu là-bas ? Est-ce que nous autres, petites gens, les propriétaires nous reçoivent à dîner ? Recherchent-ils

148

notre compagnie, prennent-ils de nos nouvelles ? Peuh !
Ils n'en veulent qu'à nos yuans.

– Tu dis vrai, l'ancêtre. Mais tu as tort quand même.

– Comprends pas. Tes paroles sont des buissons à
l'ombre, et leur sens tarde à fleurir.

– Ça ne fait rien. Regarde plutôt la route. Et mets les
gaz ! »

Au contraire, Tchouang-tseu serra les freins. L'ensemble de la circulation connut d'ailleurs un ralentissement qui tassa le flot automobile comme un accordéon.
Il y eut quelques frictions de pare-chocs ; un camion
stoppé trop tard mordit le fossé.

« Qu'est-ce qui te prend ? cria Wei, dont la joue s'était
brutalement aplatie sur l'épaule du second passager.

– Des travaux. La route est fermée. Déviation !
résuma le taxi.

– Ce sera long ?

– Est-ce que je sais, moi ? »

De fait, une barrière rouge et blanc, ponctuée de
feux clignotants, fendait la voie sur toute sa largeur.
Des policiers se tenaient derrière, leur manteau de pluie
rayonnant dans la lueur des phares. À grands gestes, ils
déviaient les véhicules vers une route annexe où la moto
dut s'engager.

« Ça devient long d'aller à Shenyang ! râla le taxi. Ils
ont fermé la nationale 203, la rue Wendong à hauteur de
la station-service et même la rue Wenguan, avant-hier.

Je ne sais pas ce qu'ils trafiquent, dans le coin ? Et puis, ces satanées grues…

– Des grues ? répéta Wei, la tête tournée vers le barrage de police qui s'éloignait. Ce n'est pourtant pas la saison ?

– Des grues de chantier, je veux dire… J'en ai compté douze entre l'école Dongji et l'aciérie de Xianjin. Douze !

– C'est pas loin de chez moi, ça.

– Et il s'en monte encore, tous les jours ! » gloussa Tchouang-tseu qui avait lâché le guidon d'une main et l'agitait très haut au-dessus de sa tête, pour illustrer sûrement quelle altitude considérable atteignaient les appareils de levage. « À chaque fois, les voitures sont bloquées plusieurs heures, le temps qu'ils mettent la grue debout. Un scandale ! »

Wei eut un reniflement maussade. Lisant l'adresse de sa destination, Tchouang-tseu avait dit la connaître et pouvoir s'y rendre en rien de temps. Ça s'était compliqué dès la sortie de la voie rapide. Ce gratte-ciel, il l'affirmait, n'existait pas la dernière fois qu'il avait roulé dans le quartier. Le plan des rues était différent. Un boulevard avait disparu, couvert par de nouvelles constructions ; un autre s'était considérablement élargi par l'arasement d'anciens immeubles, passant de quatre à huit voies automobiles. Partout, des chantiers géants, des dalles de béton frais, des terrassements, des remblais, des cohortes d'ouvriers à casque jaune en rotation jour et nuit, des piles de matériaux et des tas de gravats... retardaient honteusement les transports.

«Les rues ont beaucoup changé, déplora le chauffeur qui, aussitôt, traversa une série d'éternuements. Eh, petit, tiens mieux le parapluie ! Je sens la neige frisotter dans mon cou...

– Pardon, grand-père !»

Depuis le début de la course, monsieur Zhang gardait la main droite sous le revers de sa veste, la gauche soutenant le parapluie. Cela l'obligeait à serrer fortement les cuisses pour rester en selle et le contraignit, une ou deux fois, à lâcher le manche du pépin pour pincer le porte-bagages – sans quoi il serait tombé à la renverse, cul sur le goudron.

Ces précautions n'avaient pas échappé à l'autre passager, un gros monsieur assis en première position. Depuis leur départ aussi, l'obèse lorgnait la veste de Wei, son renflement suspect à la hauteur de la taille, comme s'il avait ceint une bouée aplatie d'un côté. Profitant qu'un arrêt au passage à niveau avait fait tomber le régime de la moto, il entreprit son voisin de selle :

«Dis, l'ami ? Il y a quoi sous ta veste ?

– Hum ? grogna Wei, qui tâchait de ranimer son tabac soufflé par le vent.

– Je vois bien que tu caches quelque chose.

– Et alors ?

– Allez, fais voir !»

Wei déglutit une salive amère. Il aurait bien mérité un crachat en pleine face, ce gros porc dont les jambons s'épataient à l'aise sur toute la largeur de la selle alors que lui, quarante-neuf kilos après dîner, payait pareil pour chevaucher le garde-crotte. Mais Yun l'avait mis en garde contre son mauvais caractère, et les suites fâcheuses de ses emportements. Wei voulait bien le reconnaître, ses nerfs cinglaient comme des fouets. Combien de poings n'avait-on pas lancés dans sa direction pour un mot de travers ?

Exprès, monsieur Zhang prit une grande bouffée du gaz noir et huileux que vomissait le pot d'échappement. Il eut un haut-le-cœur. Sa colère retomba comme s'aplatit le lait bouillant, sitôt coupé le gaz.

« Laisse-moi tranquille, d'accord, le gros ? Personne ne veut d'embêtements. Dans un moment, le taxi te déposera chez ta petite amie. Je parie qu'elle s'appelle Ju ou Lei et qu'elle vernit ses ongles de pieds. Moi, de mon côté, je vaquerai à mes affaires. Voilà comment font les gens bien élevés. Ils gardent leur langue dans leur poche et leurs yeux sous leurs paupières. »

L'autre eut un sourire en biais. Mais au lieu d'entendre l'avertissement, comme l'aurait fait quiconque d'un peu de jugeote, il envoya sa main tâter la veste de Wei – ce qui, pour le coup, ralluma le feu sous la casserole de lait.

« Alors, tu montres ce qu'il y a dedans, oui ou non ? Tu fais bien des cachotteries, je trouve...

– Compère, enlève ta main. Tout de suite !

– Qu'as-tu à craindre ? Ça m'est égal, tu sais, que tu caches un revolver dans une boîte à chaussures ! »

Repliant deux doigts boudinés et écartant les autres, l'obèse donna forme à une arme de poing.

« Pan, pan ! Fini, les loyers en retard ! Ah, ah, ah !

– Un revolver ? » hoqueta Tchouang-tseu.

Du tressaillement de ses poignets résulta une sinusoïde dans la course de la moto.

« Pardi ! Pour tuer son propriétaire !

– Je t'aurai prévenu, gros lard ! »

Brusquement, Wei agrippa le col de l'obèse et tira en arrière, de toutes ses forces, en se cabrant sur la selle de la moto.

« Rrrrh ! fit l'autre, avec un hideux gargouillement de canard qu'on égorge.

– Ça t'apprendra à fouiner !

– Aarrrrrhhh ! Lâche… lâche ça, crétin ! »

Wei ne lâcha rien mais plutôt rendit l'insulte, en traitant son voisin d'œuf de tortue mou. Le taxi s'en mêla. Il reprochait à Wei de négliger le parapluie, et se rangea du côté de l'obèse qu'il voyait rougir et convulser dans le rétroviseur. Tchouang-tseu embarda violemment pour désarçonner son passager arrière.

L'affaire se solda à destination. Sitôt la moto arrêtée, le gros colleta monsieur Zhang qui colleta le taxi. L'adversaire de Wei pesait bien son quintal – c'était un robuste Chinois comme en donnait, dans les dernières

générations, l'abus de hamburgers et de sodas occiden-
taux –, mais Wei avait pour lui l'usage des bagarres, un
alphabet de poings et de pieds qu'il savait par cœur.
Il ne perdit pas de temps en invectives, par exemple.
À peine descendu de selle, il envoya son genou dans
l'estomac du gros et sa tête, boule de piquants noirs, au
nez de Tchouang-tseu.

Une certaine confusion s'ensuivit. Wei reçut des
gifles et but son propre sang, qui avait le goût des champignons macérés dans le vinaigre. Mais parce qu'il rendait deux coups pour un pris, il parvint à s'extraire du
combat dans une position honorable et échappa aux
policiers, accourus peu après. Son dernier geste fut
pour jeter des pièces à la face du chauffeur, qu'il voua
à la mort ignoble des punaises sous un talon de botte.

Wei n'arrêta de courir qu'au bout de la rue. L'air
fuyait ses poumons à petits jets blanchâtres et, comme
il éprouvait cela (son souffle haché par l'effort), il sentit en même temps ses lèvres roides et boudinées, ses
orteils meurtris au fond de ses savates, un point qui
l'élançait de côté.

Le froid était terrible. À cause du vent, des emplâtres
semblaient peser sur ses joues. Il se força à sourire
de peur qu'elles gèlent, et aussi pour servir aux pas-
sants une figure avenante, malgré le sang qui perlait au
coin de sa bouche. Il remua une épaule et s'étonna du

paquet de neige que ce simple geste précipita par terre. Ainsi, il avait neigé pendant qu'il chevauchait la moto : il n'en gardait aucun souvenir.

Le taxi l'avait lâché tout près de sa destination – de cela, au moins, il devait gratifier son chauffeur. Pourtant, la rue était méconnaissable. Était-ce la nuit tombée trop vite, trop noire, comme si la mesure d'obscurité dépassait l'ordinaire, qu'il y eût trop d'ombre en suspension de l'espace ? C'est à peine si l'on discernait le contour des bâtiments. Quelque chose venu d'en haut semblait s'appesantir sur le quartier et, telle une nuée suffocante, tuer les rares points de lumière. On comptait bien quelques néons aux devantures des magasins. Mais ce peu de jour ne se diffusait pas : il restait prisonnier des tubes de verre.

Monsieur Zhang guettait un coin tranquille pour faire sa toilette et repéra, un peu plus loin, une impasse où débouchaient des gargotes. Accroupi derrière une pile de caisses, au-dessus d'une flaque qui captura son visage tuméfié, il s'éclaircit la bouche avec sa propre salive, disciplina ses cheveux au moyen d'un peigne en plastique qu'il avait derrière l'oreille, comme l'épicier a son crayon. Sa tenue aussi réclamait un peu d'ordre : il défroissa comme il put son pantalon, ajusta au moyen d'un curedent la manche de sa veste, arrachée à demi. Rencontrer monsieur Fan exigeait une bonne présentation.

Tout cela fut accompli d'une seule main car Wei gardait l'autre, la droite, serrée autour de la boîte en carton, au point qu'on pouvait croire qu'il logeait là quelque infirmité, une plaie honteuse qu'il dérobait aux regards. Le téléphone sonna. Wei détortilla le sac plastique où l'appareil était enfermé, regarda qui appelait, mais le rangea sans décrocher.

Puis, se redressant sur ses pieds, et inspectant une dernière fois son reflet à la surface de l'eau, il retourna dans la rue.

Wei marcha un moment, le regard en l'air, avant d'identifier la tour Oriental Bliss, une bâtisse de dix étages, sous un toit oriental à cornes, dont la pollution brumeuse du quartier gommait la moitié supérieure. Rien n'avait changé depuis sa dernière visite. La vitrine d'un salon de beauté occupait le rez-de-chaussée, masquant les appuis de la construction qui, de fait, semblait chaussée de verre, presque en lévitation au-dessus du trottoir. Sur ce socle montait une pile instable de bureaux et d'appartements. Certains sortant de l'alignement tendaient dans le vide leurs balcons, boudeuses lippes de ciment fardées de neige.

Wei connaissait les lieux et, sans plus tarder, dirigea ses pas vers la porte d'entrée, sur le trottoir d'en face. Presque aussitôt, il s'arrêta. Un obstacle imprévu se dressait face à lui : encore une barrière, blanche et massive, qui rompait la circulation.

Troublé, monsieur Zhang recula jusqu'à l'accotement. Ses doigts vinrent tâter le peigne derrière son oreille. Un mois plus tôt, il l'aurait juré, la barrière n'était pas là. La rue continuait son goudron d'un trottoir à l'autre et de même on traversait, en forçant le passage aux voitures. Plus maintenant. Il y avait cette grille sur toute la longueur de la voie, qui ne ressemblait pas aux barrières de police pour contenir une foule ou dévier les autos – non, c'était une clôture solide, installée pour de bon. Le passage pour les piétons se trouvait à plus de deux cents mètres, au carrefour. Personne, croyait Wei, ne consentirait ce détour humiliant.

Notre héros n'examina qu'un instant le parti à prendre. Plein de ressentiment contre les lois iniques de l'administration, il enjamba la barrière et marchait déjà de l'autre côté quand retentit un coup de sifflet.

La police devait faire le guet car deux voitures surgirent d'une entrée de garage et lui foncèrent dessus, dans un grand clabaudage de sirènes. La seconde freina trop long et l'accula violemment contre la barrière. Wei hurla : le pare-chocs lui broyait la jambe. Il libéra son genou comme on sort une vis d'une planche de bois, avec des râles indignés. Qu'est-ce que c'était que ces façons d'agresser les gens ? Si ça se trouvait, il avait le tibia cassé et à coup sûr son pantalon était fichu, bon pour faire une serpillière ! Wei passa son humeur sur le capot de l'auto, qui avait l'aspect du métal mais se composait de plastique bon marché, rendant sous les coups le bruit mat d'une cloque de peau percée.

Il se calma au bruit grésillant d'une matraque électrique, tout contre sa joue.

«À genoux ! hurla quelqu'un.

— C'est bon.

— Plus vite que ça !»

Monsieur Zhang s'agenouilla, déclina son identité et montra ses papiers, suivant les ordres qu'une policière au chignon strict lui aboyait aux oreilles. Un autre agent avait jailli d'une portière avec un pistolet encore dans son étui, mais qu'entouraient déjà des doigts nerveux. Et un troisième, encore, quitta le volant pour assister ses camarades.

Wei ne savait pas, au juste, ce qui appelait pareil déploiement de forces. Il se figura que le taxi ou son passager avait alerté la police. Dans sa cervelle précipitèrent les évènements des dernières heures et leurs suites prévisibles : quel montant d'amende, combien de jours de détention.

Or, l'agent à la matraque attrapa le lobe de son oreille et tira sans pitié :

«Interdit d'enjamber la barrière !

— Quoi ? lâcha Wei, ébahi.

— Tu as enjambé la barrière pour traverser ! C'est défendu !»

Wei comprit et baissa la tête, courba les épaules ; s'il avait pu, il se serait prosterné sur la route.

«Je m'excuse !

— On emprunte le passage piétons !

— Pardon ! Je ne savais pas !

— Tu n'as pas vu le panneau ?

– Non.

– Il y a un panneau !

– Ça n'était pas comme ça, avant ! » geignit monsieur Zhang.

Il réussit même, en s'essorant les paupières, à traire quelques larmes qui plurent toutes vives sur le capot de l'auto. Peut-être s'en tirerait-il avec une remontrance et un vilain hématome au genou.

Mais la policière avait des lèvres dures, rien qu'une fente au bas du visage qu'elle avait tâché d'épaissir par un trait rouge assez malvenu. Cela (et le chignon serré sous le calot) ne lui disait rien qui vaille. La fonctionnaire avait sorti un carnet à souche qu'elle grattait, mauvaise, de la pointe d'un stylo tari par le froid.

« Ça fera dix yuans, annonça l'agent en réchauffant le bic dans son haleine.

– Pourquoi dix yuans ?

– Enjambement de barrière.

– Je n'ai pas d'argent.

– Tu n'as pas d'argent ? Nous allons te fouiller.

– Peine perdue.

– Et cette boîte, sous ton bras ? Qu'est-ce qu'il y a dedans ? »

Un coin de la boîte avait déchiré le sac plastique et pointait à l'air libre. Wei tira dessus le pan de sa veste, dans l'intention puérile de la faire oublier.

« Il n'y a rien.

– Ouvre-la, alors ! »

– Je vous donne ma parole, la boîte est vide.

– C'est un ordre ! »

Lancée par-derrière, la matraque électrique avait atteint Wei au pli du coude et causé un spasme du bras. La boîte lui échappa et tomba renversée sur le capot de la voiture. Aussitôt, la torche d'un agent la captura dans son faisceau, comme on éblouit le lapin chassé du terrier. Monsieur Zhang vit avec effroi que le couvercle avait pris l'eau : une déchirure de quelques centimètres s'ouvrait dans le carton ramolli, peut-être élargie par le choc. Cette brèche exposait, bien visible, le coin supérieur droit d'un billet de cent yuans – c'est-à-dire l'épaule de Mao Zedong, sa petite oreille au lobe allongé et cette auguste calvitie frontale, au stade trois selon la classification de Norwood, qui présentait sur d'autres formes de raréfaction des cheveux l'avantage d'être la plus harmonieuse, la moins enlaidissante et, au final, la seule compatible avec la dignité de Grand Timonier.

« Tu n'as pas d'argent, hum ? Matez ça, les gars ! »

Le porteur de matraque et le chauffeur croisèrent les rayons blancs de leurs torches sur la trouvaille. Le dernier policier, dont la main se crispait toujours sur son pistolet, sortit un cutter pour trancher la bande adhésive autour du carton. Or, Wei l'avait si bien ficelé qu'il n'y parvint pas : après plusieurs essais, le couvercle continuait d'attacher au corps de la boîte par d'épais lambeaux de scotch. À la fin, l'agent se lassa. Il plaqua une main ferme sur le carton et le découpa tout entier par le flanc. Des liasses de billets, longtemps comprimées à l'intérieur, s'extravasèrent du coffret par la fente. On aurait dit, s'épanchant sanglants hors de l'abdomen, les boyaux d'un animal qu'on éventre.

«Merde! jura le policier qui, d'émotion, lâcha son cutter.

– Ce couillon trimballe une fortune, là-dedans!

– Les garçons, c'est la prise de l'année...», jubila l'agent au chignon.

Par réflexe, les torches s'étaient détournées du magot sur lequel un agent, d'instinct aussi, jeta sa veste imperméable. La policière au chignon, qui semblait avoir autorité sur eux tous, emballa le carton dans la veste et rangea aussitôt ce ballot dans le coffre de sa voiture.

Entre-temps, quelqu'un donna une franche poussée dans le dos de Wei, le projetant sur le capot. Il sentit des bracelets de métal glacé encercler ses poignets.

«Salopard! D'où vient cet argent? Tu vends de la drogue?» hurla l'agent à la matraque.

Monsieur Zhang émit un gargouillement. Son ventre se contracta et juta dans sa bouche un flot acide venu de l'estomac. De la bave coula sur la neige qui feutrait la voiture, où elle creusa de petits trous jaunes. Ce qui venait d'advenir était un choc, et Wei restait là, muet, la figure pressée contre le plastique du capot, à tenter d'ordonner ses pensées en pagaille.

«Tu vas répondre, connard?»

Cette fois, le bout de la matraque lui rentra dans

les côtes. Wei sentit la foudre irradier dans ses veines, les remonter en fusées brûlantes jusqu'au nœud de sa poitrine. Un orage de douleur éclata sous son crâne. Il poussa un hurlement mais, aussitôt, retomba dans une sorte d'hébétude. Convulsé un instant par la décharge, son torse devint mou et s'étala de nouveau sur l'auto.

« Bon, on l'embarque ?

— Moi, je pense qu'il travaille pour la mafia. C'est bien leur genre, d'employer un pauvre type pour convoyer de l'argent ! Mais ils devraient l'avertir de ne pas franchir les barrières. Se faire pincer comme ça… Cet idiot n'a vraiment rien dans la caboche ! »

Des mains empoignaient déjà Wei aux aisselles quand, au prix d'un effort surhumain, il décolla sa joue du capot et réussit à articuler quelques mots :

« Attendez ! Cet argent… c'est pour des médicaments. Mon beau-père est malade. Un cancer de l'œil… Le traitement est très coûteux. Et les chirurgiens… Il faut graisser des pattes, sinon personne ne s'occupe de vous…

— Et là, tu marchais vers l'hôpital, peut-être ? La clinique Madein, à onze kilomètres ? Tu nous prends pour qui ?

— Je dois aussi acheter des fournitures scolaires pour ma fille… », varia absurdement monsieur Zhang, dont la voix déclina sur les derniers mots.

Effet peut-être du coup de matraque électrique, une

puissante somnolence le gagnait et fermait ses paupières. Sa nuque devint soudain comme de beurre, sa tête retomba en heurtant le capot. Il aspira de l'air au fond de sa gorge.

«Pitié...

– Dans la voiture! s'énerva l'officier au chignon. On embarque ce guignol...

– Non! Non! Je vous en prie...»

Mais autour de lui les visages étaient durs, le froid mordant, la nuit hostile. Le monde avait une consistance de pierre brute qui heurte et qui blesse.

Les deux agents les plus robustes soulevèrent Wei et l'emportèrent comme un paquet à l'intérieur de l'auto. On l'introduisit pieds devant, appuyant sur sa tête pour qu'elle franchisse le cadre de la portière. Il s'efforçait de rester conscient malgré l'engourdissement de ses membres, ce poids qui l'entraînait au néant.

La portière pivotait déjà quand, brûlant ses dernières forces, Wei lança dans un cri :

«Je vais voir monsieur Fan!»

Les policiers se figèrent. Allongé sur la banquette, Wei ne voyait pas leurs visages mais seulement leurs jambes, jusqu'à la taille. L'agent au chignon se tenait debout avec les deux collègues qui l'avaient malmené. Ce fut elle qui rompit le silence, de la même voix raide que nuançait toutefois, discret mais audible, un nouvel accent de déférence :

«Qu'est-ce que tu as dit?

– J'ai rendez-vous avec monsieur Fan. Il habite cette tour, au quatrième étage. »

Au silence qui s'ouvrit, Wei comprit qu'il avait fait mouche. Il poussa sur ses coudes pour décoller du siège.

« Tu connais monsieur Fan ?

– Oui… », déclara Wei en s'asseyant sur la banquette. Et il ajouta, plus fort : « Cet argent est pour lui. »

La portière claqua, et Wei crut que les policiers s'étaient ressaisis, qu'un homme allait s'asseoir au volant et mettre le contact. Mais ce n'était qu'une précaution : l'agent au chignon échangea avec ses collègues des propos assourdis.

Une seconde plus tard, des mains saisirent Wei pour l'éjecter de la voiture. On lui retira les menottes. Le coffre aussi fut rouvert. La dame au chignon attrapa le sac plastique et le jeta dans les bras de monsieur Zhang, d'un tel élan qu'il manqua tomber à la renverse. Wei allait partir sans demander son reste mais l'homme à la matraque lança son bâton grésillant en travers de ses cuisses. Le fugitif s'arrêta net avant de subir l'électrocution par le bas.

« Eh, l'ami ? Donne-nous cent yuans !

– Ça t'apprendra à te payer nos têtes, grinça son collègue.

– Cent yuans. C'est un pourboire pour toi, non ? »

Wei hésita. Que risquait-il à faire le sourd ? À courir vers l'immeuble en ignorant leurs injonctions ?

Peut-être une balle dans la fesse, frémit-il. Qu'il fût ou non débiteur de monsieur Fan, personne n'accuserait la police d'avoir blessé un pauvre type qui faisait des histoires.

« Dépêche-toi ! insista la gradée au chignon, la main tendue vers lui. On n'a pas toute la nuit ! »

Pris de vertige, monsieur Zhang roula au ciel des yeux hagards. N'est-ce pas que l'air s'était encore assombri, depuis qu'il était descendu de moto ? Tout semblait noir. Seules brillaient les loupiotes de triporteurs garés le long du trottoir comme les pièces dérangées d'un domino. Un marchand de légumes, là-bas, remuait une grosse cuillère dans un bac fumant plein de nourriture. Des gens s'amassaient autour, dans la vapeur grasse et les cliquetis de baguettes. Wei sentait des dizaines d'yeux tournés vers lui.

« J'ai dit de te dépêcher ! » tonna la policière tout près, si près qu'il pouvait flairer son haleine, où planaient un fumet de citronnelle et l'odeur savonneuse du rouge à lèvres appliqué de travers. « Tu n'as pas hâte de retrouver ta femme, et de rentrer un peu au chaud ? Cent yuans ! Et encore, on est gentils ! On pourrait tout confisquer ! Et toi, qu'est-ce que tu ferais ? Tu irais te plaindre au commissariat ? Allons, sois raisonnable. Cent yuans, et on ferme les yeux…

– Je n'ai pas le droit ! » gémit monsieur Zhang, les mains jointes en prière.

Il tremblait et blêmissait à vue d'œil.

« Qu'est-ce que tu racontes ? Cent yuans, lavette ! »

Révulsé, Wei plongea ses doigts dans le trou du carton ramolli et sortit un billet froissé qu'il tendit aux agents. C'était comme s'il l'extirpait de son nombril. À l'instant où le billet changea de mains, un coup de matraque électrique l'atteignit au pli des jambes. Wei tomba sur les genoux, s'écorcha à travers le tissu du pantalon.

« Maintenant, dégage ! »

Il n'a pas sa place, ici

Au moins, l'ascenseur était chauffé. Wei n'avait pas senti le départ de la cabine, et ne sentirait pas non plus l'arrivée. La boîte de métal au plancher moquetté avait quitté le sol en douceur comme, supposait-il, s'enlevait de terre la nacelle d'une montgolfière. Il songea avec envie aux habitants qui, chaque jour, accomplissaient ce délicieux voyage d'un étage à l'autre de la tour. Des personnes respectables que la police laissait tranquilles, derrière les portes en bois de leurs appartements. Des hommes aux costumes sages, des femmes en tailleur qui recevaient l'approbation du miroir de la cabine, et parfois les compliments d'autres passagers. Par nature, ils étaient beaux. Wei, lui, n'osait pas affronter le tain qui couvrait tout un côté de l'ascenseur. Il se sentait indigne même de cette glace d'élévateur, et dirigeait exprès ses regards vers l'écran où défilaient les chiffres des étages. Enfin, le quatre s'afficha ; un tintement léger se fit entendre, qui rappelait le chant d'un bol tibétain heurté par une mailloche.

« Mes parents, donnez-moi du courage ! » implora Wei Zhang quand coulissèrent les portes automatiques.

Il marmottait encore des prières, le doigt sur la sonnette. Son visage flamba lorsqu'il avisa, fonçant le paillasson sous ses pieds, deux ronds humides que faisait la neige égouttée. Il n'aurait pas été plus honteux de s'être pissé dessus. Vite, Wei se donna un coup de peigne d'avant en arrière et glissa l'ustensile sous le rabat de son col.

« J'ai rendez-vous avec monsieur Fan, récita Wei à l'ouverture de la porte.

– Ça m'étonnerait. »

Le portier était un géant en costume anthracite, aux mâchoires palpitantes comme des ouïes de requin, presque sans front sous l'implantation très basse des cheveux en brosse. Un tatouage animal (peut-être un poisson-chat convulsant au bout d'une ligne) dépassait du haut de sa chemise. Il eut une vilaine grimace en découvrant la veste dépecée de Wei, son pantalon boueux. La peau du visiteur s'échauffa de quelques degrés.

« Monsieur Fan m'attend.

– Tire-toi !

– Ce n'est pas exactement qu'il m'attend, s'embrouilla Wei, mais il serait content de me voir.

167

– Dis donc, bonhomme, tu cherches les ennuis ?

– Laissez-moi entrer.

– Je ne vais pas déranger monsieur Fan pour un minus dans ton genre ! »

Wei plongea ses doigts dans le carton. Le regard du géant descendit vers la main qu'il lui tendait. Malingre, noiraude, toute ligotée de nerfs et de veines, la droite de Wei pinçait une liasse de billets de cent yuans en piètre condition. D'incessants tripotages les avaient blanchis aux marges ; ceux du dessus semblaient sortir d'une lessive où la ménagère les eût trempés par distraction, ceux du dessous partaient en lambeaux rafistolés avec de la bande adhésive. De vraies loques, convint monsieur Zhang qui regretta de ne pas avoir choisi une liasse plus présentable.

« Qu'est-ce que c'est que ça ?

– Attendez, il y en a plus. Regardez ! »

Cette fois, Wei sortit la boîte du sac plastique et, écartant la fente pratiquée au couteau par l'agent de police, donna un large aperçu du magot. Il l'avait fait sans malice, croyant de la sorte exposer le meilleur de lui-même. Hélas, des halogènes au plafond du couloir nappaient le papier-monnaie d'une lumière crue, assez désobligeante. Billets pâles et rétrécis, plus petits que nature. On aurait dit des faux.

« À quoi tu joues ? C'est quoi, tous ces billets ?

– Je veux voir monsieur Fan. »

Wei eut honte. Il voyait bien que son argent n'en

imposait guère, tombé ainsi de sa veste comme un mouchoir morveux. Le problème n'était pas de quantité mais de qualité. Ces coupures chiffonnées n'avaient jamais circulé qu'entre des mains comme les siennes ; elles n'avaient jamais servi qu'à payer du mauvais charbon, du riz graveleux, des pommes à vers. Rien de commun avec les billets neufs et crissants dont les machines automatiques pourvoyaient les maîtres, du bel argent assorti aux beaux costumes qu'il servait à acheter. En somme, la monnaie circulait sous deux espèces : l'argent souillé des pauvres et celui purifié des riches, qui ne se mêlaient pas mais s'étageaient dans la société comme, dans l'océan, se recouvrent l'eau tiède en surface et l'eau fraîche des profondeurs.

Tant cette idée soudain le perça, Wei sentit vaciller ses jambes. Son pécule maintenant le dégoûtait, malgré tout ce qu'il représentait d'efforts et de travail. Pour un peu, il l'aurait mis au vide-ordures, en s'excusant d'avoir traîné cette immondice chez des gens comme il faut.

Mais il se ressaisit. Sa famille comptait sur lui. Père et mère le protégeaient.

« Si vous me chassez, monsieur Fan n'aura pas son argent, et il sera très fâché ! rusa le visiteur. Ce sera votre faute ! Vous allez vous faire tirer les oreilles, camarade...

– Comment t'appelles-tu ?

– Zhang Wei. J'habite la rue Ziqiang dans le quartier Xisanjiazi.

– Zhang Wei, ça me suffit. Attends ici. »

L'index du vigile marquait, sur le sol, un endroit en retrait du paillasson. Ainsi, ses semelles n'étaient même pas dignes d'un tapis-brosse ? Les mâchoires serrées, Wei fit un pas en arrière.

La porte ne fut pas tirée jusqu'au bout. Entraînée par son poids, elle pivota sur ses gonds vers l'intérieur. Superbe porte, au demeurant, un chef-d'œuvre d'huisserie. Côté couloir une plaque d'acajou, maintenue par des vis à tête pyramidale, côté appartement une paroi d'une autre essence exotique ; entre les deux, au moins six centimètres d'un métal argenté qui scintillait aux feux des spots.

Monsieur Zhang risqua un œil dans l'entrebâillement. Il découvrit l'appartement, comme le ciel dans la trouée des nuages. L'habitation était vaste et cossue. Du marbre au sol, où s'étalait une authentique peau d'animal à fourrure. Un plafond nacré comme l'intérieur d'un coquillage, un lustre d'une complication exquise, des plantes qui débordaient de grands vases orientaux. Une clarté diffuse baignait l'atmosphère, émoussant légèrement le contour des objets. Peut-être avait-on vaporisé du lait, dont les gouttes en suspension propageaient la lumière ?

Passa une déesse en robe de satin, riant bouche ouverte, tenant une coupe de champagne qui éclaboussait le carrelage selon ses déhanchements. Un homme lui emboîtait le pas, la mâchoire greffée d'un téléphone à coque aluminium. D'autres messieurs défilèrent, en veston, en chemise et bretelles ; la plupart pinçaient un cigare entre leurs dents. Tous avaient le même air de prospérité, un éclat comparable à celui des neiges éternelles sur les hautes montagnes.

Son souvenir des lieux comportait une table ovale, très grande, de quoi asseoir quinze ou vingt personnes. De cette partie du salon, soustraite à sa vue immédiate, provenaient des claquements de tuiles de mah-jong et l'entrechoc des pièces qu'on mélangeait. Certains coups déclenchaient des rires en cascade.

Enfin, le concierge reparut.

« Monsieur Fan ne te reçoit pas. Surtout dans cet état. Tu n'as pas honte, de te présenter ainsi devant lui ?

– Tant pis pour l'argent, alors ? fit Wei en bobinant le plastique autour du carton.

– Monsieur Fan s'en torche de tes billets, crétin ! »

Wei hocha sèchement la tête et pivota sur ses talons. Il se dirigeait déjà vers l'ascenseur, quand le portier le rappela :

« Où vas-tu ? Je vais te recevoir, moi. Nous allons régler cette affaire à la cuisine. Suis-moi, sans faire de bruit ! »

Le plan de l'appartement donnait accès aux pièces de service sans traverser le salon. C'est ce couloir, ménagé entre deux cloisons pour la circulation des domestiques, qu'emprunta Wei derrière son guide. À la cuisine, le concierge fit asseoir monsieur Zhang et lui servit du champagne, tiré sur la bouteille laissée au personnel. Un bon bougre, au fond.

Wei n'avait jamais bu de champagne et explora, amusé, la sensation des petites bulles grouillant sous sa langue. Certaines s'élevèrent dans ses sinus et déclenchèrent une toux pétaradante.

« Tu viens régler tes loyers ?

– Non. Teuh ! Je viens acheter la maison. Teuh ! Teuh ! Monsieur Fan m'a dit qu'il me la vendrait, si j'en avais les moyens. En fait, c'est à mon père qu'il l'a dit. Nous avions sa parole.

– Oui, oui… Et ça, c'est l'argent pour la maison ?

– Vous pouvez compter ! annonça Wei avec entrain, en faisant claquer sa main sur le carton. Cent vingt-trois mille yuans, c'est le prix convenu entre mon père et monsieur Fan. »

Le concierge rapporta d'une pièce voisine un ordinateur blanc. Il le déplia sur ses genoux et, les mains sur le clavier, se livra à des opérations auxquelles Wei ne trouva aucun sens, bien qu'il étirât le cou pour mieux voir l'écran. La machine était d'une remarquable discrétion – sauf un grésillement lointain et, de temps à autre, un froufrou d'étoffe quand le disque se mettait à tourner. C'était comme avoir un chat sur les genoux.

« Ton adresse, déjà ?

– Au 74 de la rue Ziqiang, dans le quartier Xisanjiazi. »

Sur la lucarne de l'appareil voltigèrent des photos d'immeubles, de villas modernes, d'entrepôts, d'appartements, de tours d'habitation ou de bureaux, de terrains nus et de friches, dont le portier réglait le défilement d'un petit geste du pouce. Le champagne procurait à Wei un certain enjouement, mais diffusait aussi sous son crâne un brouillard de plus en plus épais où ses pensées cheminaient à tâtons. Il fut lent à comprendre que ces propriétés, selon toute vraisemblance, étaient les biens de monsieur Fan. Le carrousel d'images, monotone à la longue, donnait l'impression que le millionnaire s'était accaparé la moitié de Shenyang. D'ailleurs, c'était peut-être vrai.

Enfin, la maison des Zhang apparut sur l'écran. Wei sentit son cœur se serrer. La photo devait dater d'une quarantaine d'années, à juger sur l'état de la maison et la fraîcheur de toutes ses parties – le toit par exemple et ses tuiles au complet, alors qu'il en manquait désormais un bon nombre. L'arbre aussi, en pleine santé, avait un air de jeunesse bien éventé depuis. Sur le cliché, le printemps irriguait le sumac d'une sève violente, appel à la couleur et à la vie auquel la plante répondait par des houppes d'un blanc savonneux, par des toupets d'ivoire tendre. On les voyait fleurir de loin, se rappelait Wei. Certains jours, l'odeur de térébenthine se propageait dans toute la rue.

« Tu habites là ? ironisa le portier. Avec toute ta famille, je suppose ? Quelle bicoque ! Tu n'aurais pas envie plutôt d'un appartement moderne, en centre-ville, avec l'ascenseur et le chauffage ? Enfin, ça te regarde… »

Le portier glissa son pouce sur le pavé tactile pour agrandir une fenêtre. Entre ces doigts trapus et la machine délicate régnait une telle disproportion qu'on craignait de la voir réduite en pièces.

« C'est bien cent vingt-trois mille yuans. Monsieur Fan te fait un fleur, tu sais... Il pourrait t'en demander le triple. Tu connais le prix du mètre carré, à Shenyang ?

– Monsieur Fan a donné sa parole, esquiva Wei.

– Bien sûr, bien sûr. Alors, tu as le fric ? »

Pendant que Wei buvait du champagne, le portier resté debout, puis juché d'une fesse sur le bord de la table, compta et recompta l'argent. Tant ses doigts étaient prestes et déliés, on aurait cru un magicien répétant un tour de cartes. Sûrement, ce n'était pas la première fois qu'il palpait d'aussi nombreux billets. Tout l'opposé de Wei qui, pour sa part, maniait rarement plus de deux ou trois coupures et, au-delà, se sentait débordé – frissons et coulées d'aisselles.

La vérité, c'est qu'il n'aimait pas détenir trop d'argent et, nanti par hasard d'une somme conséquente, n'avait qu'une hâte : s'en soulager dans la première boutique. Le monde étant bien fait, les commerces abondaient en articles hors de prix, capables d'assécher en un clin d'œil les magots les plus patients.

Monsieur Zhang avait fini son verre et le portier entamait un quatrième comptage. Gardées naguère par des élastiques à cheveux, les liasses se partageaient maintenant en deux pyramides, montées sur la table de la

cuisine. Wei nota que les coupures n'étaient pas grou-
pées par valeur mais plutôt selon leur état : d'un côté les
billets présentables ; de l'autre les déchirés, les tachés,
les loqueteux qu'il faudrait échanger à la banque populaire de Chine.

« Le compte y est ?
– Non, il manque cent yuans.
– Vous êtes sûr ?
– Cent yuans ! Ne me prends pas pour un idiot ! »
Wei fit non de la tête. Tant sa nuque était tendue, il
avait l'impression d'une catapulte bandée à l'intérieur
de son cou. D'un instant à l'autre, le ressort allait cla-
quer et projeter son crâne à travers la fenêtre.

« Il manque cent yuans ! » aboya le concierge, le
poing pressé sur une pyramide des billets qui s'affaissa.
Des coupures fuirent de la table, tourbillonnant comme
des épluchures de patate à la lame du couteau.

« Désolé, je ne comprends pas. Il doit y avoir une
erreur. »

Le cœur de Wei battit plus fort. Sous l'afflux de sang,
sa joue contusionnée l'élança. Il sentit ses poignets mor-
dus par les menottes et l'endroit derrière sa jambe que
la matraque avait atteint. Tout son corps lui parut enfler
et palpiter. Il n'y avait pas d'aveu plus voyant. Pourtant,
enhardi par l'alcool, Wei tenta encore sa chance :

« Oui, voilà ! J'ai pris le taxi.
– D'où venais-tu, pour que ça coûte aussi cher ?
– De chez moi, pardi ! »

– À Xisanjiazi ? Ça n'est pas si loin.

– Ma femme m'accompagnait. Nous avons traversé toute la ville, de part en part, pour visiter sa cousine qui habite Yuhong. Le taxi nous a compté un supplément à cause d'un grand saladier de pâtes qui voyageait avec nous. Au retour, beaucoup de circulation. Ensuite, j'ai fait un détour par l'hôpital Shengjing, où un voisin s'est fait opérer. Un camion lui a roulé sur la jambe, avant-hier. Ce taxi ne m'a pas semblé très honnête. Le compteur devait être trafiqué…

– Tu ne t'en es pas aperçu ?

– Non. J'étais distrait. Quel étourdi ! Ah, là, là ! »

Régler tous ces mensonges (les jouer aussi, avec le ton et la mimique appropriés) fatiguait beaucoup monsieur Zhang. Il aurait volontiers grillé une cigarette dans le couloir, tel un comédien à la pause. Le tabac et l'alcool étaient de grande ressource dans ces situations. Le voile de fumée qu'on tissait autour de soi formait le paravent des timides. L'ivresse aussi rendait plus fort. Elle donnait du cœur aux émotifs, du corps aux lâches.

Mais Wei n'osait pas se resservir de champagne. Quant à sortir une des cigarettes bon marché dont le paquet mou bosselait sa poche, des *Moustaches de tigre* à deux yuans le lot, il n'y fallait pas songer. De quoi aurait-il l'air, à brûler ce tabac puant près des cendriers débordant de cigares ?

Le portier méfiant fit d'autres questions sans cesse

de tripoter les billets, isolant parfois telle ou telle coupure qu'il mirait au jour de la lampe ou flairait bizarrement. Enfin, las d'inventer, monsieur Zhang passa aux aveux : il manquait bien cent yuans, la faute à la police, mais il n'avait aucun moyen d'ajouter le moindre *máo* à l'argent déjà sur la table. C'était à prendre ou à laisser.

Wei laissa tomber sa tête dans ses mains et l'y abandonna. Ses épaules qui s'agitaient, le rythme accéléré de sa respiration donnaient les signes contradictoires d'une crise de larmes ou de fou rire.

« Donc, tu n'as pas l'argent ? hurla le concierge.

– J'ai presque tout l'argent.

– Il n'y a pas tout !

– Presque.

– Et tu es là, à me faire perdre mon temps ? »

Monsieur Zhang éleva un regard peureux sur le géant. Lui aussi faisait un coup de sang. Ses mâchoires s'arquaient comme du fer rouge, ses sourcils charbonnaient violemment. Mais le plus terrible était le poisson tatoué sur son cou, dont les écailles se remplissaient à vue d'œil d'encre furibonde.

« Mille pardons, je regrette.

– Que veux-tu que j'y fasse ? Il faut rentrer chez toi !

– Impossible. J'ai promis à mes parents que j'achèterais la maison, quand j'aurais assez d'économies.

– Eh bien, tu t'expliqueras avec tes parents.

– Mes parents sont morts. Enterrés au pied d'un arbre, dans la cour de notre maison.

177

– Rien à fiche !

– On n'a pas le droit de décevoir les morts. Sinon, ils se vengent…»

Monsieur Zhang resta assis. Il rentra sa tête dans ses épaules : ainsi font les tortues qu'on malmène. Une claque s'abattit sur sa nuque, une autre sur sa tête, mais il refusa de bouger. Au contraire, il enroula sa cheville à un pied de la chaise, il agrippa des deux mains le bord de la table. Maintes fois au cours de sa vie, Wei avait été chassé, refoulé, jeté à la rue. Il connaissait des façons de se rendre lourd, de se faire immobile ; le moyen de devenir statue que l'effort de plusieurs ne pouvait déplacer.

Ça ne serait pas simple, de le mettre dehors.

«Bon, je vais voir…», grogna le concierge, et il quitta la pièce.

Dès qu'il fut seul, Wei allongea les jambes et étira un grand bâillement. Que d'histoires, pour un pauvre billet ! Il soupçonnait n'importe quoi dans cette cuisine de coûter beaucoup plus cher : cette carafe en cristal, par exemple, ce joli hachoir fourbi comme une épée, ou ce tire-bouchon tortueux qu'il n'aurait pas su même attraper, tant le dessin du manche lui semblait contrarier la morphologie naturelle de sa paume.

Il ouvrit la fenêtre et, la tête entière sortie au bout du cou étiré, prit trois bouffées d'une cigarette qu'il jeta encore chaude dans le vide. Il suivit du regard le plongeon du petit point rouge, telle la chute ralentie d'une étoile et son atterrissage douillet sur la neige du trottoir, où d'un coup elle s'éteignit.

Wei se rassit. Ce plaisir clandestin l'avait mis en sueur. Il sentit palpiter le téléphone contre sa poitrine. Un message : Yun venait aux nouvelles. Wei n'était pas très adroit pour tracer les caractères sur l'écran. Il essaya d'écrire : «tout va bien», mais se découragea et rempocha l'appareil.

Retour du portier. L'accompagnait une vilaine odeur de cigare refroidi, plus forte quand il agitait les bras, comme si l'avait emprisonnée l'air à l'intérieur des manches.

«Monsieur Fan te fait grâce de cinquante yuans, tu peux louer sa générosité ! Les cinquante autres, je les mets de ma poche. Maintenant, déguerpis ! Voici un certificat de propriété. Provisoire, bien sûr. On t'enverra les papiers définitifs quand le notaire aura signé... C'est ton jour de chance, abruti ! »

Wei attrapa le document qu'il roula sans façon sous sa ceinture, endroit le plus sûr de sa personne et le mieux abrité des intempéries. Il remercia profusément, mais déjà les larmes lui coulaient de partout, comme ruisselle un seau où tombe un caillou ; les larmes sapaient ses mots et les noyaient, ou bien les charriaient aux confins de ses phrases, et il ânonnait n'importe quoi.

«C'est bon, c'est bon ! fit le portier en l'entraînant vers la porte. Fiche-moi le camp, avant qu'on change d'avis ! »

Minuit était passé quand Wei poussa la grille de la maison. Le réverbère en panne ne dispensait aucune lumière, mais il émanait une faible lueur de la neige en tas sur le trottoir. Wei n'alluma son briquet qu'à l'instant d'engager la clef dans la serrure. La porte joua tout de suite. Yun se tenait derrière, un plaid jeté sur les épaules.

« Je suis rentré à pied, chuchota Wei. Pas d'argent pour le taxi. Quelle heure est-il ?

– Viens. »

Monsieur Zhang fit un pas à l'intérieur. Aussitôt sa femme, emmitouflée dans la couverture, se blottit contre lui. Ils restèrent un moment ainsi, lui se réchauffant de Yun, elle se rafraîchissant de son époux.

« Tu sens le tabac froid. Mais... ton pantalon est déchiré ? Et ce bleu, sur ta joue ?

– Rien de grave. Je te raconterai.

– Qu'est-ce qui t'est arrivé ?

– Je te dis que ça n'est rien. »

Wei délogea deux boutons, devenus des cailloux de neige durcie. Toute la veste d'ailleurs s'était rigidifiée, qu'il ôta comme une pièce d'armure. Entre la manche arrachée et le plastron, une suture de glace s'était faite. Dans le climat plus chaud de la maison, la glace se ramollit et la manche tomba.

« Yun, réveille tout le monde ! J'ai une grande nouvelle à vous annoncer.

– Ça ne peut pas attendre demain ?

– Non. »

Pendant que Wei quittait ses vêtements plâtrés de blanc, Yun s'en fut remuer les endormis. Meifen avait le sommeil si lourd qu'elle dut faire la lumière. Enveloppé à son tour dans une serviette, monsieur Zhang attendait sous l'ampoule de la table. Il n'avait gardé sur lui qu'un caleçon, et la ceinture qui tenait le sous-vêtement depuis que l'élastique d'origine s'était détendu.

Quand tous furent installés, le chef de famille sortit le rouleau plié autour de sa taille, qu'il inspecta avers et envers. Satisfait de son état, Wei l'étala à plat sur la table, débarrassée à cette fin du bol de bouillon et, par un coup d'éponge, de l'empreinte graisseuse de plusieurs baguettes.

Non sans quelque solennité, le chef de famille passa et repassa la main sur le papier dont un coin rebiquait, et qui resté longtemps enroulé gardait la courbure dans ses fibres. Ce n'était qu'un imprimé assez banal, de la même coupe et du même grain que tant de documents émis par l'administration chinoise, laquelle en est traditionnellement prodigue. Pourtant, il émanait de ce rouleau une majesté, un prestige que ne possédaient pas, à l'évidence, les circulaires d'information sur l'enlèvement des poubelles ou les procès-verbaux d'infraction au code de la route. Était-ce la profusion de tampons, des bleus, des noirs, des rouges, qui maculaient chaque région ou presque du document et donnaient l'impression d'un lézard aux pattes encrées qu'on eût lâché sur la feuille ?

Plein d'admiration, Wei tantôt l'élevait à la hauteur de son visage, tantôt le couchait sous l'ampoule pour l'exposer à la vue des siens.

« Tu nous as réveillés pour un bout de papier ? grommela Hou-Chi.

– Ça n'est pas qu'un bout de papier.

– Pourtant, ça y ressemble.

– Lis, plutôt !

– Madame Cui fera ça très bien. »

La grand-mère chaussa des lunettes au moyen desquelles, son doigt glissant sur les colonnes de caractères, elle commença un patient déchiffrage. Il y avait des difficultés, signala-t-elle. Des caractères de tournure bizarre dans certaines phrases, qui semblaient émerger d'une langue disparue, peut-être cette langue classique jadis à l'usage des lettrés et des fonctionnaires de l'Empire.

« C'est un acte de propriété, annonça Wei, devançant la question que personne n'avait posée.

– Un acte de quoi ?

– Propriété. Quand on possède quelque chose. »

Monsieur Zhang eut un geste parlant : ses mains encerclèrent son nombril, autour d'un coffret invisible.

« Et qu'est-ce qu'on possède, alors ? bâilla Meifen.

– La maison… La maison est à nous ! »

Ces derniers mots retentirent comme un coup de

cymbales. Mais alors que Wei, exalté, en perpétuait l'écho par de grands gestes ondoyants, autour de lui les visages restaient plats, les regards assoupis. Un filet de vapeur sortait de chaque bouche. Personne n'avait pris la peine de ranimer le poêle, avec l'idée, peut-être, qu'on irait vite se recoucher.

« Est-ce qu'elle n'a pas toujours été à nous ? hasarda le grand-oncle Hou-Chi.

– Nous l'avons toujours habitée, ce n'est pas la même chose. Enfin, Hou-Chi, tu fais quand même la différence ? Il n'y a rien de commun, absolument rien, entre un locataire et un propriétaire ! Le locataire n'est pas chez lui, il a beau s'alléger chaque mois d'une somme rondelette, cet argent ne lui donne aucun droit sur les murs qu'il occupe... sinon, en effet, celui d'y séjourner quelque temps. Le propriétaire, lui, a payé sa maison. Non seulement la loi lui garantit d'y résider à perpétuité mais, si bon lui semble de poser un plancher ou de percer une fenêtre, il peut le faire sans demander la permission !

– Et alors ? »

Drapé un moment dans la serviette comme dans une toge qui se plissait en demi-cercle à son bras, Wei l'abandonna et revêtit le pantalon et le chandail que Meifen lui avait apportés. Yun s'était dévouée pour rallumer le poêle. Sur la plaque de fonte qui commençait à tiédir, frémissait un fond de bouillon auparavant dur comme une vitre. Un discret fumet de soupe montait dans l'air, qui rappela le chat du dehors.

« Vous ne comprenez pas ? hoqueta Wei en donnant une chiquenaude à la feuille. La maison est à nous ! C'est ce que dit ce papier ! Le notaire nous enverra bientôt l'avis officiel. Alors, nous la posséderons pour de bon. Nous y vivrons pour toujours ! Plus personne ne pourra nous mettre dehors ! Si même un cataclysme s'abattait sur Shenyang, si la ville entière, ou la province, ou le pays étaient réduits par un cyclone à l'état de cailloux fumants, la maison du 74 rue Ziqiang resterait notre bien ! »

Le bouillon fut servi pendant l'envolée du chef de famille dont, au grand soulagement de tous, il occupa les mâchoires un moment. Monsieur Zhang lapa son bol avec volupté. Un sourire gras s'épanouit sur ses traits, à mesure qu'il remplissait son ventre. Vers la fin, il joignit les mains et les balança dans la vapeur du potage, comme dans la fumée d'un vase d'encens.

« Que c'est bon ! Que c'est bon d'être chez soi et de boire son bouillon, sans craindre qu'on vous fiche dehors ! Soyons reconnaissants à mes parents d'avoir amassé ce pécule, quand Yun et moi n'étions que des enfants. S'ils n'avaient pas commencé de recueillir la petite monnaie du riz et des choux, s'ils n'avaient pas, de temps à autre, soustrait un billet au compte serré des provisions, nous ne serions pas maîtres de cette demeure, aujourd'hui ! Merci, Bao ! Merci, Fang ! Soyez honorés ! »

Des hochements de tête saluèrent les propos du père et il y eut, à la mention des défunts, quelques approbations émues. Les regards caressèrent les portraits fleuris des morts, qui disputaient au calendrier des Chemins de fer une place en vue sur le mur d'entrée. Meifen passa un chiffon sur les cadres poisseux et enflamma cinq bougies comme des bouts de ficelle qui flanquaient les photographies, debout sur des briques saillant de la paroi.

La maison connut un regain de vie, une timide débâcle dans le flot à l'arrêt des mots et des gestes. Le chat sauta sur la table, d'où Meifen le chassa d'un revers de la main. L'oncle réclama sa part du bouillon. Madame Cui retira pour l'étendre la veste que Wei avait jetée sur le paravent. Ce faisant, elle palpait la doublure et les manches, plongeait ses mains dans les poches d'un air inquisiteur.

« Mais alors… La boîte pleine d'argent ? Il ne reste plus rien ?

— Bien sûr que non, maman, intervint Yun. Ça coûte cher, une maison !

— Si cher que ça ?

— Oui, très cher ! fit le chef de famille, agacé. Extrêmement ! Tu n'as pas idée, madame Cui !

— Pourtant, les maisons sont faites de briques, et les briques sont un matériau bon marché. Quand les gens déménagent, ils laissent les murs, non ? Si les briques avaient un prix, ils les emporteraient ! »

N'ayant jamais décelé le moindre humour chez sa belle-mère, Wei prit sa remarque au sérieux. Entre deux cuillerées, il réfléchit au moyen d'initier madame Cui à la théorie immobilière – laquelle postulait en effet qu'un assemblage plus ou moins réussi de briques, de bois, de terre cuite et de tôle ondulée, le tout appelé *maison*, acquérait sur le marché une valeur considérablement plus haute que la somme de ses constituants. Mais cela lui parut vain. Sagement, l'ouvrier baissa les yeux et poursuivit son repas.

« Et d'ailleurs, pourquoi acheter la maison ? On vivait déjà dedans ! » ironisa la vieille dame qui inspecta le pantalon de son gendre, dans l'espoir qu'un petit billet se fût coincé quelque part. Elle avait une expression railleuse devant le vêtement abîmé. « En voilà, un propriétaire qui n'a rien à se mettre ! » signifiait sa lippe amusée.

Le potage, très épicé, dégela aussi l'oncle Hou-Chi. Tel un ours qui sort d'hibernation, il s'ébroua, se frotta le museau des deux mains, lâcha enfin, avec un rot sans pudeur :

« Dis donc, avec tout cet argent, on aurait pu s'offrir un téléviseur bien plus beau ! Et même un autre, pour la chambre !

– Que dis-tu, bon-papa ?

– L'oncle plaisantait, Wei.

– Laisse-le finir, Yun !

– Il n'y a rien à ajouter. Je disais ça comme ça…»

Plus s'aggravait sa surdité, plus l'oncle proférait d'idioties, car il n'entendait pas les répliques et croyait toujours asséner le dernier mot. Wei avait beau le savoir, il fut abasourdi. Une gorgée de soupe s'arrêta dans son larynx, remonta même un peu, soulevée par la tension des muscles abdominaux. Il se força à avaler.

Mais déjà madame Cui s'emparait du projet absurde de son mari, en le fécondant de ses propres rêveries :

«Bonne idée, Hou-Chi ! Et tu aurais pu remplacer aussi la pile de ton sonotone, ou même t'en acheter un neuf ! C'est que ça n'est pas donné, ces machines-là ! Au moins, tu entendrais clair, et nous pourrions te parler sans avoir toujours à répéter… Moi aussi, j'aurais su quoi faire des sous, si on me l'avait demandé. Des années que j'espère une nouvelle paire de lunettes !» Elle agita au bout de la main sa monture plate, comme une découpe de lunettes dans une feuille de carton. «J'y vois flou avec celles-ci, il est temps d'en changer.»

C'était une contagion. Même Yun, toujours du côté de son époux et prenant son parti dans les disputes, émit ce commentaire mélancolique :

«Les casseroles sont vieilles et abîmées. Le fond, surtout. Certaines sont en si mauvais état qu'en y versant l'huile, on reçoit des gouttes sur les pieds ! De quoi avons-nous l'air, à faire la cuisine dans ces poêles d'un autre âge ? J'aurais besoin d'une poêle neuve. D'une sauteuse avec un manche en bois, pour ne pas me brûler la main. Et d'un faitout, peut-être deux…»

Meifen, à son tour, allait dresser sa liste de vœux, réclamer peut-être des livres en bon état et des habits de rechange… quand le chef de famille, battant son bol à grands coups de cuillère, lança avec autorité :

«Bon, ça suffit !»

Wei Zhang promena un œil d'aigle sur les visages autour de lui. Il s'arrêtait sur chacun assez longtemps pour créer la gêne, faire dévier le regard ou courber la nuque. Seule madame Cui parut lui tenir tête, la faute à ses vertèbres douloureuses qui l'empêchaient d'incliner le menton. Meifen fut la première à quitter la table.

«Je vais me coucher», annonça-t-elle simplement.

Ce départ offrit à l'oncle Hou-Chi une occasion de retraite. Madame Cui ne fut pas longue après lui, enfin Yun se retira en baisant la joue de son mari.

Un blâme flottait dans l'air que Wei sentait se masser au-dessus de sa tête, pareil aux nuages orageux qui pèsent sur la plaine, l'été. Amer, un peu boudeur, songeant que le sort lui avait loti des parents bien ingrats, monsieur Zhang se hâta d'achever son potage maintenant refroidi. Une main soulevait la cuillère pendant qu'il gardait l'autre, par précaution, fermée comme un rond de serviette autour de l'acte de propriété. Or, plus personne ne prêtait attention ni au chef de famille ni à son incompréhensible trésor. Il se sentait comme le plongeur qui remonte une perle magnifique du fond des eaux et s'aperçoit, à l'air libre, qu'il tient un caillou ordinaire.

«Ça ne fait rien. Ils comprendront… plus tard…», soupira monsieur Zhang. Il débarrassa la table et s'en fut se coucher.

Cependant, les jours suivants, Wei sentit que son idée cheminait difficilement dans les cervelles. On pouvait douter qu'elle eût seulement infiltré celles de ses beaux-parents, des gens modestes qui n'avaient pu, de toute leur existence, faire l'emplette d'une bicyclette neuve.

Depuis qu'en Chine les temps s'étaient un peu radoucis et que des familles naguère sans le sou avaient grossi leurs biens de bibelots sans nécessité (ici un téléphone portable, là un rasoir électrique), les Zhang, à leur tour, avaient pris goût aux futilités. Après avoir longtemps réfléchi quel objet méritait de vider toutes les économies, ils avaient opté pour un poste de télévision. L'affaire n'était pas allée toute seule. Il avait fallu souscrire un emprunt et accepter le dépiautage des comptes de la famille par l'employé de banque, un sous-ordre méprisant, infatué de sa petite autorité et d'une cravate en soie véritable.

Mais ces vexations étaient oubliées à présent que le téléviseur – un grand modèle, le plus grand qu'on avait pu s'offrir, presque aussi grand que celui livré au président du Comité – trônait en majesté dans l'angle noble de la pièce, revêtu la nuit d'une housse contre la poussière et la journée d'un napperon brodé à motif de colombes.

Cela semblait une telle chance d'avoir ouvert chez soi cette fenêtre animée et toujours changeante, cette boîte à merveilles dont il suffisait d'effleurer un bouton pour voir produits sous vos yeux tantôt une chasse au tigre, tantôt les amours de la princesse Wencheng et du roi Gampo, tantôt encore un reportage sur une plantation en bordure du désert... Cela était si neuf et si divertissant qu'on n'imaginait pas, en vérité, de bien plus désirable que le téléviseur, ni d'étape suivante à l'épanouissement matériel du clan. Vraiment, que souhaiter de mieux ?

« Maintenant, je peux mourir tranquille », s'était exclamé le grand-oncle Hou-Chi, la première fois qu'avait scintillé l'image du poste en couleurs. Chacun s'en souvenait, il s'agissait d'un programme sur les araignées – et, dans ce hasard qui avait rempli l'écran d'animaux porte-bonheur, les Zhang avaient aussitôt décelé un heureux présage.

Nul doute que le téléviseur avait amélioré la vie du ménage. Nul doute que son avènement avait marqué une ère nouvelle dans l'histoire familiale ; une ère qui, par rapprochement, repoussait l'ère antérieure (celle des parties de mah-jong, des veillées bavardes et des repas étirés jusqu'à plus d'appétit) dans un passé obscur et morose. Voilà un argent utilement converti : telle était l'opinion de tous, même de Wei qui ne répugnait pas, certains jours, à plonger dans la douce féerie des programmes en couleurs.

Auprès de ce bienfait tangible, que représentait l'achat de la maison ? Qu'apportait l'acte de vente, ce morceau de papier payé une fortune ? À peu près rien. Pour autant que l'on sût, pas une brique descellée n'avait repris sa place depuis quelques jours que les Zhang avaient un titre de propriété, pas une brèche n'avait été colmatée dans le mur nord, rongé par les pluies. C'était au mieux une péripétie sans importance, une vaine formalité ; au pire, la folle dilapidation d'un argent qui aurait pu satisfaire d'autres besoins.

Telle était surtout l'opinion de l'oncle Hou-Chi. Depuis l'appropriation de la maison, le vieillard ne perdait pas une occasion de vanter les services du téléviseur, tout en suggérant qu'il existait de meilleurs modèles à un coût guère plus élevé – des postes haut de gamme qu'on n'avait plus, hélas, les moyens d'acquérir. Cela devenait un tic chez lui, déclenché mécaniquement par l'apparition de Wei. À travers des allusions, des clins d'œil, de fines agaceries lancés au chef de famille, il affichait sa préférence pour une vie de locataire devant un bel écran, plutôt qu'une existence de propriétaire face à une vieille lucarne.

C'était aussi, concédait-il, qu'il était vieux et se fichait de mourir en possession d'un tas de briques.

«Voyez-vous, mes enfants... L'homme au début de son existence est l'*animal* dans sa plus simple expression. Il court, il bondit, il remue, il ne tient pas en place ! Toutes les bêtes peuvent se mouvoir, cela les définit. Puis l'homme prend de l'âge. Son maintien change. La part animale en lui paraît s'étrécir et grandir au contraire la part végétale.

– Végétale ? bâilla madame Cui.

– Notre espèce emprunte aux deux règnes. Il y a chez l'homme, je le soutiens, autant du singe que de la fougère ! Bref, en vieillissant, l'homme se rapproche de la plante. Le voici qui désormais cultive la fixité et le silence. Doué comme l'arbre d'une apparente inertie, il prend plaisir à ne rien faire. À s'étendre au soleil, des heures durant.

– ... ou devant la télévision, ironisa monsieur Zhang.

– Justement, Wei, justement ! Je suis sûr que les arbres, s'ils étaient pourvus d'yeux et d'un peu d'entendement, regarderaient la télévision. Il n'y a pas de divertissement qui leur convienne mieux et pour lequel ils soient mieux conformés. Qui sait, d'ailleurs, si notre sumac ne profite pas à sa façon des programmes télévisés ? À ce qu'il semble, ses branches les plus hautes occupent un angle favorable. En s'étirant vers la fenêtre, elles pourraient voir l'écran.

– Le grand-oncle Hou-Chi raconte n'importe quoi ! » s'esclaffa l'ouvrier.

Toutes les prunelles n'en roulèrent pas moins vers

le carreau où s'inséraient en effet, fines et segmentées comme des chenilles en progression rectiligne, la dernière poussée des branches de sumac. À en juger par l'extension des rameaux, ce n'étaient pas les rayons du soleil que l'arbre convoitait mais, en effet, l'irradiation bleutée du téléviseur.

«La nature est pleine de mystères, termina Hou-Chi dans un sourire onduleux. Ne sommes-nous pas de la nature?»

Le conte
des infâmes au cœur gelé

Soudain, ce fut l'hiver

À l'ouest de la maison Zhang, par-delà le réservoir Zhu'er aux eaux cireuses, passé encore un entrelacs de pistes en terre, de canaux et de câbles haute tension, s'érigeait contre toute attente – seule construction debout dans un paysage étale, fichée là comme une plume sur un dos nu – un hôtel étoilé, le *Buena Vista Inn*.

L'hôtel pouvait se décrire par les moyens de la géométrie, et il suffisait pour en lever le plan d'une règle banale. C'était un parallélépipède de verre et de ciment, sans autre aspérité qu'une double enseigne, sur le devant et sur le toit – l'arrière de l'immeuble n'en avait pas, la direction ayant jugé que ce point cardinal ne recelait aucune promesse de clientèle et qu'il était vain d'allumer un néon pour éclairer des dépotoirs et des rats d'égout. Les chambres tournées vers l'est étaient moitié prix. La plupart, d'ailleurs, ne recevaient aucune lumière du dehors, soit qu'il manquât des fenêtres, soit qu'on les eût bouchées.

Dernièrement, le *Buena Vista Inn* avait augmenté de cinq étages et de quatre-vingt-quatre chambres, suivant l'implantation à proximité d'une usine de pneumatiques étrangère qui logeait là ses cadres voyageurs. Cet agrandissement avait affecté un large périmètre autour du bâtiment. Les quartiers de l'est avaient connu plus tôt le crépuscule, les quartiers de l'ouest salué plus tard le lever du soleil.

Dans l'axe de l'hôtel, la demeure des Zhang avait payé un lourd tribut à ces travaux d'extension. Dès quinze heures en hiver, dix-huit heures en été, l'ombre du *Buena Vista* couvrait l'ancienne briqueterie, puis c'était le tour de l'immeuble aux carreaux cassés qui abritait naguère les bureaux d'une manufacture de tissus, avant que fussent éteintes, une à une, les maisons éparses de la rue Ziqiang et leurs jardins neigeux.

L'arbre à laque, dans la cour des Zhang, captait la lumière un peu plus tard que la maison. Quand s'assombrissait le faîte des poteaux électriques, ses branches les plus hautes rosissaient encore aux feux du couchant. Pourtant, à peine achevé l'agrandissement de l'hôtel, on avait vu l'arbre se rabougrir et ployer vers le sol. L'élévation du bâtiment lui confisquait les dernières lueurs du jour, des rayons parmi les plus nourrissants. Son écorce avait pris l'aspect d'une peau de crocodile tannée grossièrement. Une vilaine odeur, gangrène et chair pourrissante, avait commencé de se répandre alentour.

« Il va crever. Ce sera leur faute !

– Vois comme sont les hommes ! raisonna Wei. Hier, nous voulions l'abattre. Aujourd'hui, nous voudrions qu'il vive… »

Pour sa part, Hou-Chi voyait un mauvais présage dans le dépérissement du sumac. Comme celles de l'arbre, les forces vitales de la maison déclineraient infailliblement. Des calamités nombreuses allaient pleuvoir sur leurs têtes. Il énuméra : le mur de la cour qui s'éboulerait, le portail qui s'arracherait, un réverbère qui s'abattrait sur le toit en y mettant le feu… tandis qu'au même moment, la famille aurait à affronter une nuée de maladies – un assaut de microbes lancé d'abord contre les plus vieux et les plus faibles, mais qui finirait par gâter les plus sains. Au final, un cataclysme d'ampleur jamais vue et ce nom séculaire, Zhang, menacé d'anéantissement. Ils auraient de la chance s'ils en réchappaient.

Ainsi vaticinait Hou-Chi. Un peu plus tard, la pile faiblissante de son sonotone s'éteignit pour de bon, événement auquel le reste de la maisonnée attribua sa mauvaise humeur et où le grand-oncle, plein d'un triomphe amer, vit seulement l'accomplissement de sa prophétie.

« Que vous avais-je dit ? Tout va mal. Tout ira de mal en pis ! » répétait-il, trépignant et jurant face au téléviseur inaudible.

Dans les jours qui suivirent, les tracas furent

nombreux et insistants, quoique d'intensité modérée. Cela pouvait donner l'idée qu'en effet, une malchance bénigne s'acharnait sur la famille Zhang. Par exemple, le transistor tout neuf de Yun, un joli poste en plastique moulé, à poignée mobile et écran lumineux, connut sa première panne. La molette de réglage n'agissait plus et la radio, arrêtée par hasard sur une station vieux jeu qui diffusait de l'opéra et des chants patriotiques, parut s'y fixer pour l'éternité. Yun retourna au magasin et obtint, non sans peine, l'échange du transistor contre un modèle fonctionnel (mais d'une couleur qui lui plaisait moins).

Il advint ensuite qu'un bol ancien, entré dans la famille par la lignée paternelle et dernier vestige des parents de Wei, échappa des doigts de madame Cui et se brisa sur le sol. Comme en punition, les coliques de l'aïeule connurent un regain alarmant, l'envoyant à la selle vingt fois par jour. La semaine s'acheva sur ce triste inventaire : des rayures sur ses verres de lunettes, une fuite du robinet, le pied tordu du poêle, l'oreille lacérée du chat, de la soupe répandue sur le manuel d'histoire de Meifen.

C'étaient des contrariétés sans importance. Pourtant, sous cette mitraille de petits malheurs, les Zhang sentirent fléchir leur optimisme – cette façon de regarder l'avenir qui les rassemblait, vrai ciment de la famille selon Yun, plus précieux que le mortier liant les briques des murs. L'agrandissement du *Buena Vista Inn* plongeait la maison dans le noir et semblait de même enténébrer les cerveaux. Avec toute cette ombre affluait le froid, un froid toujours plus dur qu'il fallait combattre par des rations croissantes de charbon. La consommation normale en hiver, de deux sacs par semaine, était montée à trois sacs au début de janvier, puis à quatre sacs – le double du régime ordinaire.

Ce qui restait de la provision familiale, la dernière faite avec l'aide de Cheng et de sa locomotive, avait brûlé en quelques jours. Un soir, le coin de la salle à manger où s'entassait le combustible s'était vidé d'un coup. Du moins était-ce l'impression qu'on avait eue : l'instant d'avant, Wei enfonçait sa pelle jusqu'à la garde dans le tas noir ; l'instant d'après, la même pelle raclait le carrelage. Du monceau luisant, il ne restait que des brisures, de petits morceaux épars dont Meifen les recueillant sur une assiette fit une poignée qu'elle jeta au fourneau. Il y eut une poussée de chaleur, avant que le poêle privé d'aliment entamât un lent refroidissement.

«Il faut que j'y retourne, constata le chef de famille, sa main posée sur la fonte à peine tiède

– Retourner où ?

– Aucune idée.

– Nous pourrions l'acheter, ce charbon !

– Avec quel argent ?

– Rappelle-toi, Wei. Tu m'as fait un beau cadeau. Un présent coûteux.»

Malgré la fraîcheur qui régnait dans la pièce et jetait le frisson sur toute peau découverte, madame Zhang

déroula l'écharpe autour de son cou, ouvrit son che-
misier jusqu'à la naissance des seins. Là, entre les deux
globes, ronds et luisants comme des poteries vernissées,
pendait au bout d'un ruban rouge, petit et bien voyant
néanmoins : un diamant brut.

Yun eut un large sourire, affichant ses belles dents
qui ajoutèrent leurs feux blancs à ceux de la pierre.

« Comme tu es belle, ma femme…

– Si nous le vendions, nous serions tirés d'affaire,
n'est-ce pas ? Nous serions au chaud, pour de nombreux hivers !

– Non, Yun. Il n'en est pas question. Nous n'en
sommes pas là. Il y a de l'espoir, encore… »

Lorsque Wei quitta la maison, les sacs à charbon
sous le bras, il emporta l'image de ses parents groupés
autour du poêle, vêtements et couvertures jetés sur eux
à plusieurs épaisseurs, absorbant par leurs visages et
leurs mains l'ultime radiation de l'appareil de chauffage.
C'était un beau tableau de famille, triste et édifiant à la
fois, digne d'un poème tragique du temps des derniers
Han. Un peintre, peut-être, en aurait tiré une estampe
pleine de sentiment : sur le pont incliné d'un navire en
perdition, parents et grands-parents s'étreignent avant de
sombrer dans l'eau noire. Le monde allait finir, les temps
s'achever ; il n'était, hors de la maison, pas de vie possible
ni de bonheur concevable. Cela l'émut aux larmes.

« Soyez patients ! Je reviendrai ! » promit monsieur
Zhang.

Il fut deux nuits dehors. Comment Wei avait vécu tout ce temps, où il avait dormi, ce qu'il avait mangé et bu, quelle distance il avait marchée et quels dangers il avait affrontés pour s'emparer d'un peu de houille au creux d'un four ou d'une citerne, le glaneur n'en dit pas un mot. On peut douter qu'il s'en souvînt lui-même. Des lieux où il s'approvisionna, non plus, on ne devait rien apprendre.

Mais, à l'aube du troisième jour, une silhouette humaine se profila vers le sud, dans la direction de l'ancienne briqueterie. En vérité, elle n'était humaine que par le bas, ces jambes qu'on voyait se soulever et lentement, résolument, brasser la neige. Le haut du corps appartenait à un monstre, d'après cette enflure énorme au-dessus des épaules : ce n'étaient pas trois sacs que charriait monsieur Zhang mais, tel Atlas le Titan, la colossale voûte céleste pesant de toute sa masse sur la carrure du chef de famille. Pleins jusqu'à la gueule, les sacs crevaient aux coutures et perdaient chaque mètre un ou deux galets noirs. De temps à autre, Wei, qui n'aimait pas gâcher, se baissait pour ramasser le charbon épars et le fourrer dans sa poche.

À deux cents mètres de la maison, le Titan s'arrêta. On le vit tomber les sacs, mouliner des épaules pour les dégourdir. Puis se baisser, les poings aux genoux, et tenir un moment cette position scabreuse de quelqu'un qui défèque. Monsieur Zhang se redressa, fit un pas de côté, se pencha encore. De plus près, on l'aurait vu branler la tête et gonfler les joues. D'aussi loin, les ailes de sa chapka battaient assez drôlement, comme si la tête détachée du corps voulût prendre son envol.

La vérité, c'était que Wei ne trouvait plus le chemin de chez lui.

Pour mieux dire, le chemin était bien là, il longeait un canal bourbeux chargé d'immondices, enjambait un vieux mur par un éboulement fait exprès, traversait un terrain vague hanté de chiens batailleurs, contournait un garage. Le chemin se déroulait selon son habitude, ou plutôt selon l'habitude de Wei qui l'avait inventé en joignant des raccourcis tracés au fil des ans… Mais, peu avant la maison, le chemin manquait sur une dizaine de mètres. À la place, un grand trou.

Ce n'était pas un trou comme en laissent les glissements de terrain, ceux-là ont un air chaotique et bousculé. C'était un trou de main d'homme, ou plutôt de fer de machine. Sur les bords ratissés par les pelleteuses se lisait par endroits la morsure des godets, traînées régulières et rameuses. Il avait plu dans la nuit et l'eau, suivant sa vocation de remplir les vides, alimentait déjà une flaque au fond : un vrai petit bassin que coloraient des écoulements d'essence, laquant la surface de vert, de bleu et de jaune.

Vue du ciel, l'excavation devait affecter une forme régulière, celle d'un cercle un peu aplati. Sans doute, avant d'entamer le paysage, ce trou avait-il figuré sur un plan. Mais un plan de quoi ? Percé de combien d'autres trous ?

Wei s'arrêta au bord friable du fossé. Tous les trous ont vocation à s'agrandir et celui-ci ne faisait pas exception, dont il sentait les lèvres s'ameublir sous ses semelles.

Ce n'était pas son genre d'attendre devant un trou qu'il se remplît ou qu'une bonne âme nouât pour le franchir un pont de cordes. Il ne réfléchit pas longtemps comment il passerait de l'autre côté, comment surtout aboutiraient là-bas les trois sacs de charbon. Soit roulés sur le dos, soit tenus dans les bras, ça n'avait pas d'importance du moment que ça y allait, trancha Wei en bottant son fardeau.

Le premier sac entama sa descente par une longue glissade mais, un caillou dans la pente l'ayant redressé, continua debout et droit, se dandinant un peu, comme s'il était le jouet d'un sortilège. La bonne chose fut qu'il ne perdit rien de son contenu ; la mauvaise fut qu'il échoua au fond dans une position difficile, vautré dans une flaque, sans volonté manifeste de gravir l'autre côté.

« C'est bien ma veine ! »

Le deuxième sac perdit rapidement son élan pour s'arrêter au milieu du ravin. Malgré un beau lancer, le troisième s'accrocha au second et s'immobilisa.

Monsieur Zhang essuya son front moite. Depuis son départ de la maison, sauf de courtes siestes à même le sol sous des bâches de camion, Wei n'avait pris aucun repos. Chaque fois qu'il sentait venir la fatigue, l'image des siens groupés autour du poêle infiltrait ses paupières. Il revoyait ses beaux-parents grelottant sous leurs couvertures, Meifen trépignant dans sa jupe d'écolière, le chat hérissé en quête d'une litière, et Yun, Yun surtout, dont le froid marbrait les joues et encrait les ongles, vraie figure de porcelaine qu'on aurait voulu emmailloter et coucher dans de la ouate. N'allait-elle pas voler en éclats avec l'abaissement des températures ? Les dents serrées, Wei bandait ses muscles et revenait à la tâche.

Monsieur Zhang sauta dans le trou. Il atterrit lourdement trois mètres plus bas, les talons dans la terre. Avant qu'il pût trouver son équilibre, sa vitesse l'emporta et il fit la culbute. Wei roula sur une épaule, râpa l'autre, fila sur le ventre et s'arrêta enfin, tout près du fond.

Il se redressa, glacé, plein de douleurs. Une boue jaune et visqueuse collait à ses habits et tapissait la moitié de sa figure. Il en était même entré dans sa bouche – goût navet cru, serpillière essorée – qu'il racla sur ses gencives avec deux doigts restés propres. La situation lui apparut telle qu'elle était : épouvantable. Il n'avait pas mesuré que la pente fût si raide ni le trou si profond. Hisser les sacs sur l'autre bord excéderait probablement ses forces. Lui-même n'était pas sûr de pouvoir remonter. Quelle idée avait-il eue de plonger là-dedans ? Ça lui aurait pris vingt minutes de faire le tour, tandis qu'il en aurait pour des heures, peut-être, à sortir du piège.

Wei sentit poindre des larmes. Il les laissa couler. Les pleurs jaillissaient tièdes de ses paupières, c'était toujours un peu de chaleur. Il se battit les flancs, les yeux levés vers l'endroit d'où il avait sauté.

Pour commencer, le sac resté à mi-pente ne serait pas simple à atteindre. Il en était là, méditant le moyen d'escalader la paroi jusqu'au ballot enlisé, sinon de lui jeter des cailloux pour le décrocher, quand claqua un cri :

« Eh ! Tu veux de l'aide ? »

L'appel provenait du bord opposé du fossé. Wei se tourna, et n'en crut pas ses yeux. Dix mètres au-dessus de lui, sur le fond bleuâtre du ciel d'hiver où virevoltaient des oiseaux, se dressait une silhouette massive. Seul Cheng était ainsi conformé : tête plate, lourde encolure, tel vraiment le bouchon scellé à cire d'une bonbonne en grès. Pour le reste, son ami était méconnaissable : rasé de frais, la figure rincée de toute cette suie qui la grisait d'habitude et, au lieu du manteau verni de crasse qui le parait en toute saison, un blouson neuf à col de fourrure dont la poitrine et les épaules arboraient des écussons.

Un autre homme s'avança jusqu'au bord. Il portait la même tenue, agrémentée de chevrons argentés.

« Je veux bien, oui ! haleta monsieur Zhang.

– Il y a un treuil, sur la voiture. Nous allons te sortir de là.

– Commencez par les sacs. Lancez le câble, je vais les attacher !

– Laisse tomber le charbon, Wei ! »

– Pas question ! Il en faut pour le poêle.

– Tu n'en as plus besoin… Nous sommes passés chez toi. Il faisait aussi froid dans la maison que dehors, et beaucoup plus noir… Des matelas couvraient la fenêtre pour garder un peu de chaleur. La porte était calfeutrée avec des bouts de papier. On avait un radiateur à bain d'huile, dans l'auto. Alors, on l'a installé. Ça se branche sur une prise, tu sais…

– Merde ! explosa Wei. Tu n'aurais pas dû brancher le radiateur sans me demander ! L'électricité, ça coûte cher ! Comment va-t-on payer la facture ? Et Yun ? Elle n'a rien dit ?

– Ça gelait, camarade… Un froid à fendre les briques !

– Merde de merde ! Il fallait m'attendre ! Je n'ai pas traîné tout ce charbon pour rien ! »

À la distance où il se trouvait des deux hommes, leurs expressions relevaient du détail minuscule au coin de l'image. Il devina toutefois qu'un regard perplexe passait de Cheng à son collègue.

« Wei, il faut qu'on parle. Attrape le filin, on va te remonter… »

Dialogues de bêtes

Cela faisait des années, chez les Zhang, qu'on n'avait pas servi le thé en telle abondance, à des hôtes aussi nombreux.

Il faut dire que la bouilloire domestique, celle en aluminium noirci que tiédissait le poêle, contenait la boisson de cinq personnes, soit l'effectif de la maisonnée. Elle suffisait à condition de modérer sa soif et qu'on ne reçoive aucun invité. Or, Cheng avait introduit une bouilloire en plastique, câblée elle aussi, avec le radiateur à bain d'huile. C'était un grand modèle d'une capacité de cinq litres, de quoi abreuver beaucoup de monde. L'eau chauffait vite et, grâce à un thermostat intégré, se maintenait à bonne température sans qu'on n'eût rien à faire.

En remplissant sa tasse pour la troisième fois au bec de la théière, encore si pleine qu'il devait la soulever à deux mains, Wei dut bien reconnaître que c'était pratique. À l'évidence, leur foyer était plus accueillant depuis qu'on y branchait des appareils électriques. Depuis la veille, en somme.

Le sauvetage de monsieur Zhang n'avait duré qu'une minute, le temps de dérouler un câble au fond du trou et de hisser Wei jusqu'en haut. Le treuil motorisé plaidait aussi pour la modernité. Wei accepta de monter dans la voiture et se laissa conduire chez lui. Il fut soulagé de voir Yun sur le seuil de la maison et s'étonna, en l'enlaçant, de recevoir aux joues une bouffée tiède.

« Mais… tu es toute chaude ?

– Viens t'abriter dedans… Tu verras, il fait meilleur ! »

De fait, la mise en marche du nouveau radiateur avait

bougrement réchauffé la pièce. Sur les carreaux de la fenêtre montaient des langues de buée et tout objet en métal, robinet, tuyaux, poignées de portes, jusqu'aux cintres pendus au fil à linge, s'emperlaient de rosée. Le chat ronronnait béatement, étalé sur les côtes du radiateur.

Le thé fut servi et Wei, tout boueux qu'il était, commença par avaler deux grands bols du fluide brûlant. Dans son corps s'épanouit un arbre de feu. Il parla des trois sacs de charbon qu'il avait laissés dans le fossé et qu'il promit de remonter dès que possible. Ainsi, on pourrait bientôt rallumer le poêle et débrancher l'appareil électrique. Le radiateur était utile, si l'on en usait modérément.

Ensuite, monsieur Zhang s'intéressa aux visiteurs assis avec eux. La mue de Cheng était extraordinaire. C'était presque un étranger qu'il recevait à sa table et, si Wei n'avait gardé un souvenir vivace de l'ancien cheminot, le type cheveux gras et manches lustrées de morve, ce nouveau personnage lui en aurait imposé. Sans contredit, le blouson neuf et la casquette assortie mettaient Cheng en valeur, gommant presque son passé ouvrier. Seules les mains, brutes et fendillées, racontaient qu'il avait piloté des locomotives et plongé quelquefois dans le moteur. Une question venait aux lèvres de Wei, « ça fait comment d'habiter un caleçon propre ? », mais il n'osa pas blaguer devant sa belle-mère.

Quant au partenaire, un maigrichon sans menton ni

clavicules dont la peau avait la coloration blonde du riz germé, porteur d'une moustache tombante aux brins inégaux, Wei ne l'aima pas. Il se tenait une fesse en l'air, tantôt l'une tantôt l'autre, par crainte sûrement de se salir au contact du banc – à moins, seconde hypothèse, qu'il voulût soulager des hémorroïdes en décollant tour à tour les deux moitiés de son postérieur.

Cette pensée amena un sourire sur les joues terreuses du chef de famille. Cela, ou une bourrade du moustachu, lança Cheng dans les présentations.

«Content de te revoir, Wei... Tu te demandes sans doute ce que je fais ici ? Eh bien, depuis la fermeture de la ligne, je n'avais plus de travail. On m'a proposé ce boulot au Comité de valorisation du quartier Xisanjiazi.

– Connais pas.

– Les affiches ? Tu as vu les affiches ? C'est le Comité qui les a rédigées.

– De quoi ? Ah, oui. Je me rappelle.»

Wei déglutit et s'abreuva de thé. Il n'aimait pas le son de sa voix. Le timbre en était sourd, cartonneux, comme si ses mots avaient franchi un masque. Il n'était pas sûr d'avoir été clair, et se répéta par précaution.

«J'ai déjà vu les affiches, oui. Et alors ?

– Monsieur Cai va te dire de quoi il s'agit.»

Le maigrichon ébaucha un sourire ; le retroussement des lèvres mit à nu de vilaines dents qui, chevauchées, baguées de plomb, appelaient irrésistiblement la comparaison avec de petits poissons piégés dans la nasse. Le visiteur n'avait pas bu son thé, n'avait serré la main de personne et tenait les siennes croisées en l'air, en lévitation au-dessus de la table, comme s'il craignait encore d'attraper des microbes.

«Enchanté, Zhang Wei. Je suis Cai Chuanli, ingénieur adjoint auprès du Comité de valorisation. Si vous avez assisté à notre conférence, vous savez que le quartier Xisanjiazi va faire l'objet d'importants aménagements dans les mois à venir. En fait, tout va changer ici…

– Ma fille a suivi votre conférence. N'est-ce pas, Meifen?»

Exprès, l'adolescente en train de verser l'eau chaude souleva plus haut la bouilloire. Un flot de vapeur engloutit son visage.

«Je dois entrer un peu dans les détails. Connaissez-vous le *terbium*, monsieur Zhang?

– Allons bon.

– Le terbium… Un métal, gris argenté. Malléable, assez mou pour être tranché au couteau.

– Jamais entendu parler.

– On le range dans le groupe des terres rares… Vous savez, ces matériaux dont les technologies sont friandes, mais les réserves éparses et disséminées. Il faut remuer des tonnes de minerai pour en glaner quelques paillettes. Le terbium est très utile à l'industrie. Il réduit la consommation des lampes fluocompactes, paraît-il. On l'emploie dans la fabrication des tubes cathodiques, des lasers et des écrans à rayons X. Les spécialistes affirment qu'il n'y a pas mieux pour stabiliser les cristaux de zircone dans les piles à combustible. Ne me demandez pas ce que ça signifie, je n'en ai aucune idée.

– Je ne demandais rien, ricana Wei. Et quel rapport avec nous ? Sauf votre respect, monsieur Cai, il me tarde de faire ma toilette et de changer de vêtements. J'ai couché deux nuits dehors. »

Wei se mit debout et, sans gêne, commença à ouvrir sa chemise devant tout le monde. Chaque fois qu'il tournait un bouton, des brisures de boue sèche pleuvaient sur le carrelage. Il espérait peut-être que cet effeuillage ferait fuir les visiteurs. C'était si laid à voir, si indécent que Yun, confuse, entraîna son mari derrière le paravent. Elle resta là avec lui, l'aidant à quitter ses vêtements et frottant le gant de toilette sur sa peau quand elle se découvrait.

Cheng et monsieur Cai les regardaient faire, ahuris.

« Je vous en prie, monsieur Cai. Continuez. »

L'ingénieur finit par accepter un peu de thé. Il avait étalé des documents sur la table et chaussa des lunettes. Les verres se troublèrent aussitôt dans l'atmosphère humide. Il plia la monture avec un reniflement contrarié.

« Le terbium, donc… Il s'agit d'une ressource fossile, non renouvelable, à l'égal du pétrole ou du gaz. Mais ce qui le distingue d'autres minerais encore exploités, c'est qu'on n'en trouve plus, nulle part. Enfin, pas tout à fait… Un gisement très prometteur vient d'être identifié près de Shenyang. D'après les estimations, il pourrait s'agir du quatrième ou du cinquième le plus important d'Asie. Une équipe a sondé le fond du réservoir Zhu'er et décelé la présence de veines remarquables, un filon étroit mais profond s'étirant d'est en ouest. La teneur en terbium y serait d'un pour cent, une concentration exceptionnelle. Dans les autres gisements, elle est souvent dix fois moindre…»

Une bassine était calée sur le coin de l'évier, où Wei immergea sa tête d'un coup. Bien qu'il eût déjà rincé deux fois sa figure, de la saleté surnagea, formant autour d'elle un nimbe jaune et ondoyant. Cheng, gêné, déposa sa casquette à l'envers sur la table.

«C'est sérieux, Wei… Écoute monsieur Cai !

— J'écoute, haleta le chef de famille en frictionnant ses cheveux mouillés. Le *terfium*…

— Le terbium…

— Le terbium, oui, si ça vous fait plaisir.

— La gestion du site a été confiée à une importante compagnie minière du Henan, la China Metal Corporation. Notez qu'elle a versé beaucoup d'argent pour obtenir la concession : la China Metal a financé des lignes d'autobus, rénové une cantine scolaire et continue de parrainer l'équipe régionale de tennis de table. En reconnaissance de quoi, le droit d'exploiter le gisement de Xisanjiazi lui a été accordé pour une durée de quinze ans.»

Les doigts de l'ingénieur, à l'aspect de racines blêmes, se joignirent devant sa figure. Il scruta Wei au travers de cette espèce de cage.

«L'extraction n'a pas encore commencé. Il faut préparer le terrain.

– C'est-à-dire?

– Raser des bâtiments, vider le réservoir Zhu'er, dévier la voie ferrée et quelques routes, mais avant tout reloger les habitants du secteur qui en font la demande. C'est en cours… Par chance, la zone concédée se trouve assez loin du centre-ville. Elle n'abrite qu'une population disséminée, logée dans de vieilles maisons qu'on aurait rasées de toute façon. Ces baraques sont cernées d'entrepôts, de manufactures à l'abandon, parmi d'immenses friches qui servent de dépotoirs aux banlieues circonvoisines. Reconnaissez-vous votre quartier dans cette description, monsieur Zhang?»

Wei avait passé une chemise propre et, sans rien pour se couvrir les jambes, remettait à l'envers le pantalon rincé par madame Cui. Il marcha pieds nus jusqu'à la table et avala debout un grand bol de thé. Bien qu'arrosée d'eau froide, sa tête mal essuyée exhalait des flots de vapeur.

«Où va-t-on creuser? Où, précisément? lança Wei avec rudesse.

– Selon les projections actuelles, le site d'extraction se déploiera entre la rue Wendong et la rue Xianjin, au sud-est du réservoir.

– C'est chez nous, ça ?

– Notre maison se trouve en plein milieu ! glapit madame Zhang.

– En effet, le filon traverse votre terrain… Il passe ici, sous vos pieds. »

Toujours ensemble, les mains de l'ingénieur plongèrent vers le sol, comme celles du nageur qui pique une tête. Par hasard, elles visaient un défaut du carrelage, le pan brisé d'une dalle que personne n'avait vu auparavant et dont la découverte, dans ce climat soupçonneux, parut à tous un signe. Comment cette dalle avait-elle cassé ? Est-ce que des machines creusaient déjà là-dessous, élargissant un gouffre où la maison bientôt serait engloutie ?

Le malaise grandissait autour de la table. Meifen dit qu'elle sentait des vibrations dans ses chevilles (parce que le chat s'y frottait). Hou-Chi prétendit que le thé tremblait dans son bol, avant d'en trouver la cause – non l'ébat souterrain d'une quelconque excavatrice, mais ses propres mains qui battaient la breloque.

« Tenez, lisez… Tout est expliqué là-dedans. »

Monsieur Cai sortit une chemise à rabats, en carton fort. Sur la couverture rouge, une mention laconique était tracée au feutre : « TERBIUM – SITE XISANJIAZI ». La pochette passa de main en main avant d'atterrir dans celles du chef de famille.

Tout en dégageant les élastiques, Wei eut une moue perplexe.

«Monsieur, je n'ai pas bien compris qui vous êtes. Ni ce Comité dont on nous rebat les oreilles... Vous dites que le quartier est concerné par un projet minier ? Qu'on va creuser un grand trou, là, sous notre maison, avec l'aval des autorités ? C'est bien ça ?

– À peu près, oui.»

Wei avait les joues plates mais pouvait, à l'occasion, se tailler de belles pommettes dans un sourire espiègle.

«Qui croirait une chose pareille ?

– Il n'y a rien à croire. C'est la réalité. Rappelez-vous : tout à l'heure, vous étiez au fond d'un trou... Nierez-vous que ce trou existe ? Eh bien, ce fossé va s'agrandir. Il faudra hélas quitter votre maison avant qu'elle ne bascule dedans.»

Wei dévisagea l'ingénieur comme s'il le regardait pour la première fois. Il est des visages dont le caractère fixe l'attention comme des aspérités accrochent la semelle. D'autres, au contraire, sur qui les yeux glissent sans s'arrêter. Le sien était du second type. Cet homme ressemblait à n'importe qui. Un nez droit mais des lèvres molles, des yeux doux, la moustache clairsemée d'assez vilain effet ; il avait repris ses lunettes d'enfant, en métal bleu, dont les branches trop étroites lui serraient les tempes.

«Encore une fois, ce document répondra à toutes vos questions..., suggéra monsieur Cai. Je vous encourage à le lire.»

Wei s'intéressa enfin au contenu de la pochette. Elle

gardait cinq feuilles qu'un trombone un peu lâche, car recyclé d'autres documents, pinçait par le coin. Monsieur Zhang jeta un œil méfiant au feuillet du dessus, sans déplacer ceux du dessous. Mais, l'instant d'après, il rangea tout dans la chemise, replia les rabats, tendit les élastiques. Du givre semblait voiler ses prunelles, lorsqu'il rendit les papiers avec raideur.

Ce geste déconcerta l'ingénieur qui avait déjà bouclé son cartable et qui hésitait à le rouvrir, ou même à reprendre la pochette. Elle resta un moment en l'air, suspendue entre les deux hommes sous l'ampoule à tungstène. Le rectangle de carton projetait sur la table une ombre démesurée.

« Ça n'ira pas, monsieur Cai.

– Je vous demande pardon ?

– Ça n'ira pas : votre affaire, là, votre projet de mine… Vous ne pouvez rien entreprendre sans l'accord des gens qui vivent ici. Or, ce consentement, nous vous le refusons. J'espère parler au nom de toute la famille… »

Du coin de l'œil, Wei s'informa des autres Zhang, assis avec eux mais dont les chaises, à l'écart ou détournées, traduisaient une adhésion flottante aux événements. Meifen avait discrètement logé des écouteurs dans ses oreilles. Les beaux-parents ne pipaient mot. Yun avait lâché sa main et sirotait son thé d'un air absent. La faute peut-être au tour technique qu'avait pris la discussion. On préférait lui laisser la parole.

Cheng non plus ne s'en mêlait pas, toute son activité

se réduisant depuis un moment à décoller du pouce la doublure de sa casquette. Il reniflait beaucoup aussi, tenté probablement de se fourrer les doigts dans les narines, et regrettant que sa nouvelle dignité lui défendît des récréations de ce genre.

«Peut-être ignorez-vous une chose importante…, développa monsieur Zhang. Nous sommes propriétaires de cette maison. Nous l'avons achetée. Ce terrain aussi nous appartient, depuis le mur de briques derrière moi jusqu'à la grille d'entrée, inclus l'arbre du jardin… Nous sommes maîtres du ciel au-dessus, jusqu'à l'altitude où volent les avions et plus haut encore. Nous jouissons du sous-sol, dans toute son épaisseur, jusqu'au cœur de la planète. Comprenez-vous? Tout cela est à nous! À nous!» appuya le chef de famille, son index pressé à blanchir sur le bois de la table. «J'ai un certificat, en bonne et due forme. Vous voulez le voir?»

Apprendre que la famille possédait la maison étonna sûrement l'ingénieur. Mais, sauf une légère dilatation des pupilles, passée inaperçue, il n'en donna aucun signe et ne fit pas aux Zhang l'affront de viser l'acte de propriété.

«Ce ne sera pas nécessaire.

– Bien. Vous pouvez donc apporter notre réponse au Comité: la maison est à nous, nous l'habitons et nous n'en bougerons pas! Qu'ils retirent leurs pelleteuses, et surtout qu'ils rebouchent leur trou, j'aimerais bien marcher autour de chez moi sans risquer à chaque pas de me rompre le cou…

– Attendez, ce n'est pas aussi simple ! s'émut l'ingénieur. Des mesures de relogement sont prévues… Des appartements neufs, avec tout le confort, à quelques kilomètres d'ici ! Je suppose qu'une compensation sera aussi versée aux propriétaires. Elle peut être avantageuse, dans le contexte immobi…

– Je n'ai pas été assez clair ? reprit Wei, fâché pour de bon. C'est ici chez nous ! Ici, et nulle part ailleurs ! Vous ignorez ce que cette maison représente pour les miens. Plusieurs générations des nôtres l'ont habitée. Mes parents sont enterrés sous l'arbre du jardin. C'était leur rêve de l'acquérir, je leur ai promis qu'un jour elle serait notre propriété. Nous avons consenti beaucoup d'efforts et de sacrifices pour y parvenir. Et vous voudriez qu'à la première injonction, nous vidions les lieux comme des chiens qu'on chasse d'un paillasson ? Jamais ! Vous entendez ? Jamais ! »

La pochette « TERBIUM – SITE XISANJIAZI » flottait toujours sous la lampe. Dans un geste d'humeur, Wei la plaqua sur la poitrine de monsieur Cai qui recula sous la poussée. Une chaise se renversa, une autre racla le sol avec un bruit affreux. Le chat fila par le trou sous l'évier.

Tout le monde fut debout. Lorsqu'il se leva, la tête de Wei bouscula l'ampoule qui se balança puis partit en giration autour de la table, animant autour d'eux un ballet d'ombres hypnotiques.

Sous la protection de Cheng, l'ingénieur fit sagement retraite vers la porte. Mais, la main déjà sur la poignée, il se ravisa et sortit la pochette qu'il jeta sur le rebord de la fenêtre.

«S'il vous plaît, lisez! J'aurai de gros ennuis si vous repoussez l'offre du Comité! Et vous, vous risquez la prison, ou pire encore! Dans le dossier figurent la date du transfert et des instructions précises pour votre déménagement.

– Notre déménagement?

– Je vous le répète, tout est pris en charge. Vous ne serez pas perd…»

Le poing partit à la vitesse d'une pierre de fronde mais, lancé presque au hasard, frappa la porte et passa au travers. Wei avait mis toute sa force dans le coup et manqua se déboîter l'épaule. Yun poussa un cri. Ce fut une mêlée agitée, monsieur Zhang ruant pour dégager son bras du vantail, Cheng tombant sur lui avec la lourdeur d'un quartier de viande et l'ingénieur, qui ne songeait plus qu'à sauver sa peau, cherchant une issue. Au total, la porte malmenée se fendit par la diagonale et monsieur Cai put s'échapper par la brèche.

Malgré une disparité physique qui l'avantageait, Cheng peina à dompter son ami, vraie bête de rodéo qui se cabrait et donnait des coups de reins comme pour désarçonner quelqu'un. D'un coup, l'ancien cheminot se rappela qu'il portait un spray à sa ceinture. Il vaporisa le furieux à bout portant, une grande giclée de gaz au poivre qui mit fin aussitôt à ses gesticulations.

Wei roula par terre, plié en deux. Ses mains se crispaient sur ses joues, comme s'il voulait s'arracher la peau du visage. Des râles étouffés passaient à travers ses doigts, mouillés de bave et de larmes qu'il sécrétait en abondance.

« Pardon, vieux… Il le fallait… »

Cheng eut l'élan contradictoire de remettre Wei sur ses jambes mais ce fut Yun, accourue aussitôt, qui prit soin de son mari. Madame Zhang darda sur l'ancien cheminot un regard acéré, d'autant plus blessant qu'elle était, dans ses emportements, le plus en beauté.

« Cheng, il vaut mieux que tu partes…

– Oui, je suppose qu'il vaut mieux », admit Cheng.

Il ramassa sa casquette tombée dans la bagarre et l'épousseta du revers de la main, prenant le temps ensuite de l'asseoir bien droit sur sa tête. La porte n'était plus en état de tourner sur ses gonds, aussi la creva-t-il d'un coup de genou pour se frayer un passage.

« Le Comité la fera changer, promit Cheng.

– Pour nous expulser ensuite ?

– Ils sont comme ça… Gentils, si l'on obéit ! »

Des débris de bois et des fers tordus jonchaient le seuil des deux côtés, dedans et dehors, certains projetés à plusieurs mètres. L'ancien cheminot trouva un bouton de cuivre, arraché sans doute au blouson de l'ingénieur, qu'il fourra dans sa poche.

«Quand même, c'est moche. En arriver là !

– Travailler pour ces types, Cheng… Tu devrais avoir honte !

– Et ton mari, il vole bien du charbon ? On est tous pareils, ma jolie. On se débrouille, on fait avec, on joue notre partie avec un mauvais jeu et quelques combines. C'est ça ou crever, de toute façon. La vie ne fait pas de cadeaux ! Parfois, on a un peu d'argent en poche, on accroche une belle fille à son bras, alors on se croit les maîtres ! Je me rappelle comme il pavanait, ton mari, quand il t'a cueillie au village. Il n'avait pas tort, remarque…»

Un clin d'œil plissa tout un versant de la grosse figure de Cheng, et Yun ne put refouler un petit sourire.

«Mais la vérité, Yun, la vérité c'est qu'on est de tout petits poissons… Tu vois, ce menu fretin tout en bas de la chaîne alimentaire, dont les gros font leur pitance ? Ces bancs onduleux de petites créatures comestibles que les requins, les mérous, les dauphins, les orques, à peu près tout le monde, siphonnent par centaines au petit déjeuner ? Des maîtres, nous ? Tu parles ! On frétille au bout d'une ligne mais l'hameçon est bien enfoncé et nous déchire la gueule !»

Cheng eut un soupir, la tête tournée vers le jardin où la neige s'était mise à tomber. Des flocons tout neufs, d'un blanc de lessive, s'alignaient sur les branches du sumac et le haut mur du jardin. Une gomme passait lentement sur les lignes du paysage, à dessein, semblait-il, de blanchir la feuille à nouveau.

La neige enrobait les sons aussi, les pacifiait étrangement. Même le klaxon de la voiture de l'ingénieur retentit avec douceur, plutôt trait de flûte que clameur de trombone. Était-ce le froid ? Les gaz mal dissipés du vaporisateur ? Des larmes tracèrent deux lignes sur les joues de Cheng.

L'ancien cheminot tira une carte de la poche pectorale de son blouson.

« Au cas où, nous sommes au *Buena Vista Inn*. L'hôtel, près du réservoir. J'ai une chambre là-bas le temps que le quartier se vide, qu'on ait fait la *place nette*, comme ils disent. Méfie-toi, Yun. Ces gens… Ils peuvent faire beaucoup de mal. »

C'est pour elle qu'il le fait

Pourtant, le lendemain, le soleil se leva comme à l'ordinaire. Ce fut un ravissement pour tous – un ravissement et une surprise car, dans l'humeur où ils étaient, les Zhang auraient admis que le jour fût éteint à jamais et qu'une nuit opaque s'établît sur la Terre. La famille n'y goûtait-elle pas déjà, à cette nuit, par ses membres trépassés : Bao et Fang gisant entre les racines du sumac, dans la noirceur du sous-sol ?

Meifen ouvrit la fenêtre, prêta une oreille charmée aux

chants de rares oiseaux et au cliquetis des bicyclettes qui allaient et venaient dans la rue. Car il en passait encore, des vélos, si incroyable parût l'idée d'une course à faire dans le quartier. Monsieur et madame Zhang sortirent sur le seuil de la maison, prirent dehors une longue inspiration. Comme chaque jour à cette heure, flottaient dans l'air des odeurs de riz chaud et d'essence brûlée, l'une et l'autre si familières qu'on les savourait également ; on n'aurait su dire, de la céréale appétissante ou du gaz méphitique, ce qu'on préférait humer. Un avion tissait son fil de laine blanche à très haute altitude. Sur le mur sautillait un merle aux plumes ébouriffées. Des signes étaient donnés, manifestes, que le monde n'avait pas été anéanti pendant leur sommeil. Et aussi, prosaïquement, qu'il restait des habitants à Xisanjiazi. Cela leur rendit un peu d'espoir.

« Regarde notre arbre, fit Wei. Il a mauvaise mine. Je l'ai un peu négligé, ces derniers temps… »

En s'approchant, monsieur Zhang aperçut les bâtonnets d'encens qu'il avait piqués dans le tronc et au pied du sumac, la semaine précédente. La neige épaissie recouvrait la plupart, laissant seulement percer leur pointe rose. À cette vue, son cœur se serra. L'encens était fait pour brûler, comme l'homme naissait pour respirer. On ne pouvait qu'avoir du chagrin d'un encens perdu sans avoir donné sa flamme.

« Si nous avions rendu à mes parents les hommages

convenables, ça ne serait pas arrivé ! Allons, Yun ! Aide-moi ! Il faut brûler l'encens.

– Maintenant ?

– C'est maintenant ou jamais. Le futur, vois-tu, devient délicat à conjuguer pour les Zhang. »

Wei, aidé de son épouse, ramassa les bâtonnets d'encens tombés dans la neige, les essuya un à un sur sa jambe de pantalon. Il mettait un point d'honneur à secourir les brins abîmés, ceux dont la tige avait cassé, ceux dont la gomme s'était décollée. Il n'en voulait laisser aucun par terre. On dut craquer beaucoup d'allumettes. Des brins qui avaient séjourné longtemps sous la neige étaient imbibés d'eau. Yun déclara qu'ils auraient plus tôt fait d'incinérer des algues, mais Wei, buté, ne voulait rien entendre.

Une heure avait passé quand monsieur Zhang, les yeux piqués par la fumée, les doigts gelés d'avoir opéré sans gants, fit trois pas en arrière pour admirer leur création : des dizaines de tiges ardentes, consumées lentement par le bout, jaillissaient du sumac tels les poils drus d'un sanglier.

L'arbre avait une peau d'écorce que doublait à présent un nouvel épiderme, moitié toison d'animal moitié nuée bleuâtre, tissé mèche à mèche par la consomption de l'encens. Cela conférait au sumac une présence étrange, comme si son âme exhalée hors de son corps avait pris forme et couleur aux yeux humains.

Le couple s'agenouilla et récita une prière.

À un certain moment, Wei se releva et boutonna l'anorak matelassé qu'il sortait pour les grandes occasions. Il s'ébroua les jambes l'une après l'autre, il donna du talon pour détacher la neige qui adhérait encore aux côtes de son pantalon. Yun, attentive, le regardait faire. Elle paracheva la toilette de son mari en équilibrant le col de sa chemise qui penchait d'un côté, suivant la ligne inclinée des épaules.

«Tiens-toi droit. Cette épaule basse, ça te donne l'air sournois. On dirait que tu caches un couteau sous ta parka.

– Ça se pourrait bien.

– Allons, plus droit!

– Impossible, fit Wei en se redressant un peu. Quand je travaillais, je portais toujours la massette de ce côté… Vingt kilos, pendant dix ans! Mes vertèbres ont pris le pli.»

Monsieur Zhang palpa son biceps, naguère bien rond et qui maintenant, diminué, flapi, avait l'air d'un piment Chi-Chien glissé sous la peau.

«Tu es sûr de ta décision?

– Oui, je retourne à Shenyang.

– Et si tu téléphonais, avant d'y aller?

– C'est facile de congédier quelqu'un au téléphone. On n'a qu'à raccrocher pour le faire taire. C'est autre chose, quand on l'a en face de soi.

– Mais au moins, tu ne risques rien au bout du fil… Combien de temps vas-tu rester là-bas?

– C'est l'affaire d'une heure ou deux, estima le chef de famille. J'y vais, je dis ce que j'ai à dire et je reviens. Monsieur Fan n'est pas un méchant homme. Il comprendra mon point de vue.

– Tu en es sûr ? »

Wei mit longtemps à enfiler ses gants. Cela faisait des années pourtant qu'il avait cette paire mal coupée, il savait comment tordre les mains de façon que chaque doigt occupe l'étui prévu pour lui. Mais le salut ambigu de son épouse le mettait mal à l'aise. Il ne voulait pas partir avant d'avoir son approbation. Sans elle, Wei se sentait vulnérable, tel un guerrier dont l'armure présenterait un défaut connu de lui seul.

« Tu sais pourquoi je fais cela, n'est-ce pas ? C'est pour vous. Pour la famille. J'ai toujours agi pour votre bien.

– Personne n'en doute, mon chéri. »

Avec un sourire, Yun pinça le bord de chaque gant et, tirant franchement, les enfila aux mains de son époux. Penaud que sa ruse fût déjouée, Wei se donna contenance en vérifiant le contenu de ses poches et, en particulier, fit un inventaire précis de ses cigarettes, cinq, six, sept, couchées dans le plat de sa main. Ce n'était pas le moment d'en manquer.

« Yun, te rappelles-tu ce que nous nous sommes dit, pendant notre première nuit ensemble ? »

Wei scruta le visage de sa femme, attentif aux moindres remous sur ses traits délicats. Mais au lieu d'une figure, Yun avait ce matin une médaille d'ivoire, plate et atone, à moins d'attribuer une intention à la faible convexité des lèvres, à l'ondulation presque illisible des sourcils.

« Tu te rappelles, oui ou non ?

– Bien sûr que oui.

– Nous avons échangé des serments. Moi sur les dépouilles de mes parents, toi sur le cœur de ton enfant à naître. Nous avons juré de nous faire, l'un à l'autre, tout le bien possible. Il nous semblait que l'amour devait consister en cela : avant tout, la bienveillance.

– J'avais dix-sept ans, Wei. Et toi, dix-neuf…

– Ce n'étaient pas des paroles en l'air. La preuve, c'est que ce serment, nous l'avons tenu. Nous n'y avons pas manqué une seule fois, malgré toutes les souffrances endurées, toutes les épreuves subies au fil des années. Quand on y songe, c'est à peine croyable ! »

Wei eut un sourire auquel vint s'appliquer celui de son épouse, le même par symétrie. Certains jours, ils s'embrassaient si souvent que leurs lèvres leur semblaient nues sans ce double familier. On pouvait alors, de bonne foi, les croire une seule personne.

« Voilà pourquoi je n'ai jamais flanché… Quand je descendais racler le charbon au fond des citernes, quand mes os craquaient sous les poings des mauvais garçons, quand il faisait froid et noir, je pensais : Yun est avec moi. Quelqu'un me veut du bien sur cette Terre, quelqu'un est prêt à m'aider. Yun est avec moi ! Et tu l'étais, en réalité. Pas besoin d'une photo dans le portefeuille. Il suffisait d'avoir ton image derrière mes paupières et ton nom, ancré là… »

La main gantée de Wei s'étala sur sa poitrine, se ramassa en poing qui heurta plusieurs fois l'emplacement du cœur, comme à une porte qu'il demandait d'ouvrir.

« Aujourd'hui encore, j'avance dans les ténèbres, je descends un degré de plus sur l'escalier qui s'assombrit, mais voici : une braise allume mon chemin. Et cette braise dans ma paume, Yun, c'est toi… Ceux qui nous veulent du mal se croient forts et dangereux. Mais songe combien ils sont faibles en réalité, sans pouvoir contre moi qu'éclaire un tel amour ! Yun, tu es mon aubaine sur cette Terre. Non, je n'ai pas peur. Pas peur du tout… »

Il n'y avait rien à ajouter. Wei embrassa Yun à la lisière des cheveux. Il s'attarda, narines émues, dans l'effluve personnel, accord d'eau de toilette et de sueur citronnée, qu'on respirait à cet endroit plus fort qu'ailleurs. Cette odeur appartenait à sa femme ; pour un peu, Wei l'aurait pistée sur le seul indice du parfum qu'elle laissait dans l'air.

Enfin monsieur Zhang adressa un signe de tête à Meifen et à ses beaux-parents, réunis derrière la fenêtre comme dans un sous-verre. Son index contourna le cadran de sa montre, bien en vue de tout le monde, pour signifier qu'il ne serait pas long. Il tâta une dernière fois ses cigarettes dans sa poche et franchit le portail de leur propriété.

Au cul du démon

La porte de l'appartement de monsieur Fan lui parut plus haute et plus massive qu'à sa dernière visite. Tout d'ailleurs avait changé de dimension, avait grandi, comparé à son souvenir : le paillasson débordait le seuil ; la sonnette avait un poussoir de cuivre gros comme un bouchon de carafe ; le numéro sur la porte était géant, de taille à illustrer un dossard de coureur.

Wei attribua ces anomalies à sa propre fatigue et garda son calme. Il renonça à presser la sonnette mais, jugeant cela plus direct, heurta la porte d'un poing faible. La porte n'était pas fermée et céda au deuxième coup. Cela aussi lui parut dans l'ordre des choses, l'ordre étrange qui régnait ce jour-là.

Comme dans un rêve, Wei s'avança à l'intérieur de l'appartement. Le concierge avait quitté son poste, un tabouret dans l'angle ombreux du vestibule. Tant mieux, il n'aurait pas à s'expliquer. Ses pas se tournèrent vers le couloir des domestiques, mais il se figea aussitôt, le regard au point de fuite du salon.

De ce côté venait de surgir, quittant assez ivre une table de jeu et se débraillant sur le chemin des toilettes, un homme à bedaine, aux cheveux ondulés, décalque indécent des portraits qu'il avait vus dans les journaux, mais qu'une fossette d'un type peu commun, en croissant de lune sur le menton, et la capsule de bière porte-chance qui fleurissait son lobe d'oreille, identifiaient à coup sûr – c'était bien lui : l'excentrique monsieur Fan, une fortune de Shenyang.

Wei aperçut monsieur Fan et pivota dans sa direction. Monsieur Fan découvrit Wei et, par curiosité, par ennui, sous l'empire de l'alcool ou des mauvaises cartes qui infestaient son jeu du moment, trouva de l'intérêt à ce visiteur pittoresque.

« T'es qui, toi ? »

Estimant qu'il pouvait attendre de vider sa vessie, Fan tira sa braguette et dévia vers la porte, éparpillant au passage son jeu sur une table encombrée de verres. Il suivait une trajectoire optimiste, droit vers sa cible, mais dut à mi-parcours s'appuyer sur une chaise, plus loin agripper un porte-manteau, avant qu'accourût le portier pour le garder d'aplomb.

Le concierge à son tour détecta la présence de Wei. Ses mâchoires se raidirent, sculptant un masque effrayant que dramatisait encore le tatouage cervical.

« Monsieur Fan, ce n'est rien, je m'en occupe… »

Dès qu'il sentit cette échine offerte, l'ivrogne y appuya tout son poids. Le portier se laissait manier, à la fois raide pour remplir son rôle d'arc-boutant et mou, flexible, en signe d'obéissance. Il avait posé un genou et arrondi les épaules, comme si son dos devait servir d'écritoire au patron. Dans cette posture, la cravate pendue entre les cuisses oscillait faiblement, telle la verge défaite d'un mâle de second rang.

Monsieur Fan se redressa. Les viscères ballottantes enfin à l'assiette, les gaz qu'elles renfermaient se libérèrent dans un rot tonitruant. Chez tout autre, ç'aurait été vulgaire. Mais le millionnaire y gagna un surcroît d'autorité, sinon de séduction – ce que valent aux divinités jouisseuses leurs excès de table et de boisson.

Wei n'avait jamais rien vu de pareil. Il détourna les yeux, gêné, et s'absorba dans l'étude d'un grand bouquet, debout sur une console près de l'entrée. Sans doute un cadeau que personne n'avait pris soin de tremper dans un vase, laissant les fleurs exotiques sécher sous le plastique.

« C'est qui, ce type ? ahana l'ivrogne.

– Ne vous souciez pas de ça, monsieur Fan ! Je vais le mettre dehors.

– Pourquoi veux-tu le mettre dehors ? Il n'est pas encore dedans.

– Je le connais. Il est déjà venu une fois. Un locataire d'une de vos maisons, au nord-est de la ville… Et un raseur de première.

– Ah, tiens ? On va s'amuser un peu, alors ? »

Monsieur Fan abandonna son tuteur et, saisissant Wei par l'épaule, l'attira au milieu du vestibule. Sur son ordre, le domestique apporta deux chaises qu'il posa face à face.

«Tu aimes le whisky? Le whisky... tu connais?»

Il fit remplir des verres à fond quadrangulaire que Wei peinait à tenir, car la partie supérieure ronde glissait entre les doigts et la partie inférieure carrée enfonçait ses angles dans la chair de sa paume. Il pensa au tire-bouchon retors qu'il avait vu à la cuisine. Le liquide jaune fleurait la poussière et les dessous de bras.

«Vieilli en fûts de bourbon, vingt ans d'âge, commenta le millionnaire. C'est aussi l'âge moyen des filles qui traînent ici. Ah, ah, ah!»

Monsieur Fan ne cessait de bâiller, dans le dessein probable d'atténuer l'effet d'autres libations. Il resta un moment à pincer la racine de son nez, point qui concentrait tous les plis du visage, comme s'il produisait une intense réflexion ou tâchait, verrouillé dans les cabinets, de purger des intestins congestionnés.

«Laisse-moi deviner... Tu habites une maison qui m'appartient. Un mur est lézardé, et tu viens demander qu'on répare. Tu as fait tout le chemin sur ton vélo, depuis Daoyizhen ou Qijianfang, parce que tu n'es pas à l'aise au téléphone. Peut-être même ta maison n'est-elle pas raccordée à la ligne? C'est bien ça?»

Monsieur Fan se tourna vers le portier avec un clin d'œil. Or, saoul comme il était, cette rotation du crâne lui fit l'effet d'un tour de manège. Il blêmit. La salive moussait aux commissures de ses lèvres. Vite, le millionnaire prit une gorgée de liqueur et un glaçon qu'il broya sous ses molaires.

«Alors? Tu ne réponds pas? Encore un qui a perdu sa langue en collant un timbre-poste! Ah, ah, ah!»

Wei trouva fastidieux de s'expliquer. Il devinait qu'en restant le derrière sur cette chaise, avec ce gros verre dans la main qu'il craignait de casser et d'avoir à payer ensuite, défense bien sûr d'allumer une cigarette... s'il s'attardait, donc, son envie de prendre l'air lui ferait dire n'importe quoi.

Alors, il allongea le bras pour poser le whisky et tira de son portefeuille, avec une grimace comme s'il extirpait un crabe récalcitrant de sous un rocher, cinq billets de vingt yuans (la rivière Li à Guilin) que son pouce déploya en éventail sous l'œil ahuri du millionnaire :

«Je suis propriétaire de ma maison, monsieur Fan. Voilà ce qu'il manquait pour tout payer. Mais maintenant, je n'en veux plus. Ils vont la raser pour creuser une mine. Alors, s'il vous plaît, rendez-moi mon argent, tout l'argent, et je vous rends la maison. Nous serons vos locataires, comme avant.»

C'était bien dit, jugea le chef de famille. Il n'aurait pu dire mieux. Pourtant, le concierge faucha les billets des doigts de Wei qui dut les ramasser; il secourut l'un d'eux, atterri dans son verre, que la liqueur ramollissait déjà. La brute poussait des hurlements : qui était Wei pour traiter ainsi monsieur Fan? Croyait-il qu'un homme aussi considérable avait besoin de son obole ? Vite, qu'il se prosterne et implore son pardon !

Ce disant, le portier assénait des coups au dossier de la chaise, de grandes baffes qui menaçaient de disloquer le meuble et chahutaient rudement monsieur Zhang. Mais ce dernier, buté, s'obstinait à tendre les billets que le portier, trois fois, lui arracha des mains et jeta par terre de plus en plus chiffonnés. Tant de volonté chez l'un, d'emportement chez l'autre donnait un spectacle sauvage comme en offre peut-être, de nuit sur les plages tropicales, la querelle de tortues pondeuses et d'oiseaux mangeurs d'œufs.

« Je vous rends la maison, rendez-moi l'argent », s'entêta monsieur Zhang qui, las d'être bousculé, traîna sa chaise un peu plus loin.

Le millionnaire laissa échapper un hoquet, puis sa physionomie afficha un étonnement incrédule. Ce n'était pas souvent qu'en sa présence un subalterne formulait une requête sans trembler ni rougir. Il tendit le cou vers cette curiosité, comme l'amateur de fleurs s'incline sur un spécimen exotique.

« Tu en as du toupet, toi ! Du toupet, et du cran ! Tu es comme ces petites fleurs venues avec la pluie et qui, à peine sorties de terre, exhalent leur parfum entêtant dans toute la vallée ! Comment t'appelles-tu ?

– Zhang Wei.

– Zhang Wei, pourquoi pas ? Sois le bienvenu, Wei ! Les fortes têtes, ça me plaît ! Bien sûr, je n'aurais qu'à cligner de l'œil pour qu'on te renvoie chez toi avec un coup de pied au derrière. Ou même pire. Ne chatouille pas les moustaches du tigre, dit-on dans mon village ! Il est divers moyens d'enseigner aux bavards la continence des paroles, vertu louable s'il en est. Frotter la langue de piment, y semer des sangsues géantes, la lacérer au rasoir... De quoi discipliner cet organe turbulent ! »

Wei eut la nausée à l'énoncé de ces supplices auxquels un ton de voix assorti, s'effilant comme la pointe d'un couteau, donnait beaucoup de réalisme.

« Comment faire taire un homme ? Je vais t'expliquer. Le volume de la cavité buccale est en moyenne de quinze centimètres cubes : ce sont deux poignées de ciment à prise rapide et trois coups de truelle pour l'enfourner jusqu'à la luette. Plus deux pincées de béton, une par narine... », détailla monsieur Fan qui, le temps de cette tirade, avait vidé deux fois son verre que le concierge remplissait à mesure, y versant le pur malt sans discontinuer.

Dès qu'il avait servi son maître, le portier contournait la chaise du visiteur pour se placer derrière, les mains sur le dossier comme s'il poussait un fauteuil roulant. Cette manœuvre n'avait pas échappé à Wei. Méfiant, monsieur Zhang jetait des coups d'œil en arrière et finit par se tenir de trois quarts, pour surveiller le portier tout en restant dans la conversation.

« Ah, ah, ah ! Tu ne parais pas très à l'aise. Remets-toi, prends une gorgée de cette excellente liqueur ! Tu n'aimes pas les alcools étrangers ? Je te rassure, il ne t'arrivera rien sous mon toit. La nature m'a doté d'un caractère affable et d'une certaine prévenance envers mes semblables, ou devrais-je dire mes compatriotes. Frapper un Han, ce serait pour moi comme m'envoyer des gifles en plein visage. Tu es bien han, n'est-ce pas ? »

Malgré sa nuque raide, comme prise dans un licol, Wei hocha la tête.

« Fort bien. Avec ton long nez et tes sourcils épais, on pouvait te prendre pour un Ouïghour du Xinjiang. C'est donc un même sang qui coule dans nos veines. De quel droit le répandrais-je ? Je ne suis pas de ces barons qui se figurent avoir droit de vie et de mort sur les paysans, parce qu'ils ont des lingots à la banque. Tu ne m'en voudras pas de t'appeler paysan, n'est-ce pas ? Paysan, ouvrier, c'est pareil. Tes mains font l'aveu d'un travail de brute, derrière une machine ou un soc de charrue. Il fut un temps où ces métiers valaient des médailles et des honneurs à qui les exerçait. Heureusement, les choses sont rentrées dans l'ordre. Les marchands ont pris les rênes de la société et les paysans, ma foi, sont retournés là où fut leur place, hier et aujourd'hui, de toute éternité : dans les rizières gluantes, au cul des buffles... »

Wei déglutit péniblement. Depuis un moment, sa situation s'éclairait d'un nouveau jour, glauque et inquiétant. Il recevait de lui-même une image non pas autre, mais mieux proportionnée : celle d'un petit homme, sans arme et sans défense, venu dire son fait au puissant propriétaire d'une centaine de maisons et d'immeubles dans tout le Liaoning. N'avait-il pas manqué d'un minimum de prudence en entrant chez monsieur Fan ?

Le millionnaire pouvait l'insulter, le frapper, sans que ses cris franchissent seulement les cloisons du bel appartement. Il pouvait le tuer : la police n'en aurait rien à fiche. Que valait-il, petite unité soustraite d'un milliard trois cent mille Célestes et, dans cette multitude de sable humain, un grain parmi les plus ténus, les plus ternes ?

Perdrait-il la vie ici, on emballerait son corps dans du plastique comme le bouquet de fleurs à l'entrée, et le sinistre paquet serait jeté quelque part, dans un fossé ou dans une décharge. Chaque année, paraît-il, le curage des citernes de Shenyang livrait des corps anonymes, des hommes, des femmes, mains et pieds liés avec du fil électrique, sur la bouche un bâillon de bande adhésive. Lui-même avait assisté au repêchage d'un cadavre dans le réservoir Zhu'er, tout près de chez eux. Il se rappelait le verdissement obscène des chairs, les écoulements puants hors du suaire de cellophane. L'infection portait jusqu'à lui, debout au bord du bassin, à cent mètres des plongeurs. Serait-il le prochain ?

Monsieur Zhang tira l'un vers l'autre les pans de son anorak, de peur qu'on entendît son cœur tonner comme un gong. Tant pis pour la maison, décida-t-il. Il s'adresserait au notaire, Meifen l'aiderait à écrire des lettres.

Présentement, il fallait sauver son honneur et peut-être sa vie.

Brusquement, le chef de famille se leva et marcha d'un pas décidé vers la sortie. Sa main tomba sur la poignée, pesa franchement dessus. Horreur : la poignée résistait. Quelqu'un à son insu avait donné un tour de clef.

« Comment ? Tu t'en vas ? »

Wei fit volte-face, bouleversé. Il se plaqua contre la porte avec tant d'élan que sa tête rejetée en arrière s'assomma à demi.

« Ouvrez la porte.

— Je regrette que tu n'aies pas goûté mon hospitalité… Et mon whisky, car j'ai bien senti que cette liqueur irritait ton palais. Où va le monde, si même les ploucs font la fine gueule ?

— Ouvrez la porte, s'il vous plaît.

— Tu partirais maintenant, sans savoir pour ta maison ? Ma mémoire n'a pas toute sombré dans l'alcool, je me souviens que tu m'as fait une offre : reprendre ta baraque, que je n'ai pas vue mais dont je me fais une idée très réaliste, pour la satisfaction de la voir bientôt rasée par les bulldozers. Et tu voudrais que je te rembourse, en plus. C'est bien ça ? Ce sont les termes du marché que tu me proposes ? Putain de ta mère, vas-tu répondre, à la fin ?

— Je vous supplie de m'ouvrir la porte. »

Soudain, la chaise de monsieur Fan se renversa et

heurta avec bruit le dallage de marbre. Un verre, tombé du bord du siège, explosa dans une grande éclaboussure.

« Salopard… tu vas voir… »

D'un même élan, les deux hommes convergèrent vers Zhang qui se rencogna de plus belle, son coude levé devant le visage. Le concierge assistait son patron, de plus en plus ivre et ne contrôlant plus ses jambes. À un mètre déjà, son haleine nauséeuse fouetta le fugitif qui bloqua sa respiration.

De près, Fan faisait peur. Cravate défaite et pendante, col béant sur sa poitrine imberbe laquée de sueur, un pan de sa chemise hors du pantalon, il avait surtout une trogne d'animal évadé du troupeau. Un bourrelet pesait sur ses paupières et lui donnait l'air assoupi, malgré la vivacité du regard. Des poches au bas des joues paraissaient pleines d'herbe ruminée. Tout était à l'avenant, lourd et mal fait. Au théâtre, il aurait campé un fameux *Niú Mówáng*, le démon-taureau des contes traditionnels. Le paradoxe était que cette bête, empuantie par la boisson, fleurait encore l'ambre et le cuir d'un parfum sûrement très cher.

Monsieur Fan lança ses bras de part et d'autre de la tête de Wei, et il sembla à l'ouvrier qu'en effet, des cornes de taureau se plantaient dans la porte. En même temps l'atteignirent un coup de poing dans l'estomac, un coup de genou dans l'aine décochés lâchement par le concierge.

Un cri grossit dans son ventre, comme s'enroulent les tourbillons au fond des abysses. Or ce fut un bêlement pathétique, mi-plainte mi-soupir, qui sortit ondulant de sa bouche. Cela, du reste, n'inspira aucune pitié au maître de la maison. Ses lèvres se courbèrent aux deux bouts, dans une mimique de mépris.

«Pauvre minable... Tu es la Chine que je vomis, la Chine qui me fait honte ! La Chine mal élevée qui crache, qui éructe et qui souille de pisse les murs de nos gratte-ciel ! Celle qui pue le tabac, celle dont l'hygiène infecte gâte les dents et noircit les gencives ! Combien faudra-t-il exiler d'entre vous pour rendre ce pays enfin présentable ? Combien devrons-nous en éduquer, afin d'ouvrir vos cervelles abruties aux fruits de la civilisation ?»

Fan siffla un long crachat sur le sol – laquelle humeur, cérémonieusement, le portier recueillit au creux d'un mouchoir, essuyant sur le marbre jusqu'aux dernières traces d'humidité.

«De toi à moi, sais-tu ? il y a la distance du caillou à l'étoile. Mais les temps changent, la Chine longtemps prosternée se redresse ! Nous qui avons l'argent et les manières, nous rappellerons à ce pays ce qu'il était autrefois, avant qu'inexcusablement, comme on jette aux chiens les reliefs d'un banquet, on l'abandonne aux prolétaires des usines et des champs... Nous lui remémorerons la gloire de l'empereur Wudi, le faste de la Cité interdite, l'envergure de la Grande Muraille, l'éclat inégalé de ses temples et de ses laques ! Mais nous n'aurons pas assez d'admirer les merveilles du passé. Nous en ferons de nouvelles pour les égaler, et les excéder si possible ! C'est déjà commencé. Le barrage des Trois-Gorges, le plus grand du monde, chevauche un fleuve chinois ! À Changsha dans le Hunan, s'élèvera bientôt la Sky City Tower, huit cent trente-huit mètres, le plus haut gratte-ciel jamais monté dans l'atmosphère ! Ces réalisations sont notre œuvre, à nous Chinois éduqués, les nouveaux maîtres de l'Empire ! »

De colère, ou peut-être d'orgueil, le poing de monsieur Fan frappa la porte à toute volée. Le battant vibra, les ondes se propagèrent dans le corps de Wei et jusqu'à la moelle de ses os. Sur sa joue tremblaient des postillons tièdes, car l'autre lui criait en pleine face.

« Quelque chose ne va pas ? »

Entrouvrant les paupières, Wei vit arriver un groupe, des hommes aux manches roulées qui tenaient des cartes à jouer et des verres du même modèle que le sien, teintés d'un fond poisseux de liqueur. Assis à la table de whist, ils avaient espéré longtemps leur hôte et venaient aux nouvelles. Wei reconnut tel ou tel, aperçu l'autre fois. C'était comme si la partie, interminable, s'était poursuivie depuis lors.

« Tout va bien, assura monsieur Fan en détachant ses mains de la porte. Je vous présente Wei, notre invité. Il vient du quartier… Quel quartier, au fait ?

– Xisanjiazi, marmonna le chef de famille.

– Parle plus fort, on n'entend rien.

– Xisanjiazi !

– Ah, oui. C'est au nord de Shenyang, près du réservoir Zhu'er. Il n'y a rien à voir, là-bas. Des entrepôts, des usines à l'arrêt et d'anciennes voies ferrées. Quelques maisons sont encore habitées. Ça m'a toujours étonné, qu'on puisse vivre dans un endroit pareil ! Plus pour longtemps, du reste. La China Metal Corporation a acquis le terrain. Ils ont trouvé du minerai dans le sous-sol. Tout va être démoli… »

Pendant qu'il donnait ces précisions pour les joueurs venus d'autres régions, monsieur Fan fermait son col et ses poignets de chemise, réglait sa tenue débraillée. Tout en nouant sa cravate, il fit même un peu de ménage, poussa du pied des éclats de verre coincés dans les rainures du carrelage. De jolies femmes vaguaient parfois pieds nus chez lui, il n'aurait pas fallu qu'elles s'entaillent un orteil. La moindre fêlure de ces potiches lui aurait coûté une fortune, plaisanta-t-il.

Cependant, l'attention des joueurs entourait plutôt Wei, intrus dans leur assemblée. Leurs phalanges pinçaient des cigares d'un calibre extravagant et, tout en crapotant, ils jaugeaient le nouveau venu avec excitation, comme on relève une rare difformité dans un symposium médical. Par exemple, son anorak de molleton hors d'âge, foncé sous les aisselles, le col de fausse fourrure devenu avec le temps de la peluche râpeuse, exerçait une vraie fascination sur ces messieurs que leur veston sur mesure attendait sur un cintre, au vestiaire.

Ils lorgnaient parfois ce genre de créatures dans les faubourgs des grandes villes. Mais une chose est d'assister au défilé de la misère derrière les vitres opaques d'une limousine, une autre d'avoir un pauvre sous les yeux et, révérence parler, dans les narines, avec le relief de sa crasse et l'aigreur de ses exhalaisons. Présentement, l'élégante compagnie de monsieur Fan, bien qu'un peu ternie par l'abus des liqueurs, se comparait à Wei Zhang et jouissait de ce rapprochement. Les amis du millionnaire faisaient le tour de l'ouvrier et l'examinaient sans pudeur, échangeant des commentaires et des observations.

L'odeur surtout les fascinait. Autour de Wei, c'étaient des effluves complexes mais assez stables où dominaient la transpiration fraîche et son double corrompu, la sueur ancienne, macérée dans les plis du vêtement peu lavé. On flairait aussi le charbon, consumé ou non, signature des intérieurs modestes qui se chauffaient encore au poêle, et diverses épices comme le girofle ou la cardamome, témoins d'une cuisine pratiquée dans la pièce où l'on mangeait. Une pointe d'urine perçait partout, plus vive aux entournures de l'anorak, à croire que ce merdeux se pissait dessus par flemme d'aller aux cabinets.

Figurez-vous une bête dans une cage, sans moyen

d'échapper aux attouchements et aux regards avides. Voilà ce qu'endurait Wei, résolu pourtant à ne rien dire, à ne rien faire qui empirât la situation. Wei qui, les yeux au plafond, s'était retranché dans la solitude obtuse du méditant.

« Fan, j'ai déjà vu ce type quelque part..., intervint quelqu'un.

– Ah bon ?

– Tu sais, le plasticien shanghaïen dont je t'ai parlé. Il a fait une installation dans un entrepôt, avec un tas de charbon filmé par une caméra. Eh bien, j'ai visionné plusieurs bandes, et je suis presque sûr que ce gars apparaît sur la vidéo...

– Bizarre. Notre ami Wei, amateur d'art contemporain ?

– Non, il volait du charbon. On le voit remplir des sacs.

– Ah, ah, ah ! Elle est bien bonne, celle-là ! Alors, monsieur Zhang serait un voleur ? Pilleur d'œuvres d'art, en plus ! Ce n'est pas bien, Wei... Tu vas te faire taper sur les doigts !

– Sérieusement, Fan. Que vient-il faire ici ? Il joue au whist ?

– Absolument. Aux cartes, mais surtout au mah-jong. C'est un joueur intrépide et un parieur décidé. À l'instant, il m'annonçait l'enjeu remarquable qu'il voudrait mettre à la prochaine partie, si nous consentions à nous asseoir avec lui.

– Une mise ? Laquelle ?

– Il souhaiterait que soit jouée sa propre maison de Xisanjiazi. »

Une main se plaqua sur l'épaule de Wei et le poussa en avant. Rude, osseuse, d'une surface excédant la normale, elle appartenait au concierge dont le profil de voyou entaillait son champ de vision. Piloté de la sorte, Wei sortit du vestibule et pénétra dans le grand salon. Ses dimensions le saisirent, autant que l'éclat blanc du marbre où se réverbéraient plusieurs lampes de vive intensité. Il eut un mouvement de recul, mais fut sèchement repris par son conducteur, comme un pantin affaissé l'est par le marionnettiste.

« Avance ! »

Dans le fond de la pièce se dressait une table ovale. Celles du réfectoire de l'usine mises à part, c'était la plus longue qu'il eût jamais vue. Un désordre de verres, de flacons, de cendriers pleins, de cartes en éventail régnait sur le tapis de feutre rouge. De l'argent traînait, de grosses coupures de papier neuf qu'on aurait cachées partout ailleurs mais qui, dévaluées ici par l'aisance générale, pouvaient s'afficher sans exciter de convoitise. La table avait son propre éclairage, deux suspensions halogènes qui irradiaient le tapis d'une blancheur crue de salle d'opération.

On fit la place pour installer plusieurs boîtes de mah-jong, des modèles luxueux en bois de rose rangés dans des écrins eux-mêmes très riches, en cuir texturé provenant d'un animal que Wei ne put identifier, peut-être autruche ou pécari. Les joueurs avaient repris leurs sièges. Une chaise fut ajoutée pour l'ouvrier qu'on mit au bout de la table, non pour l'honorer mais pour le faire bien voir.

Monsieur Fan laissa ses invités jouir un moment de l'attraction. Puis, tapotant un verre avec sa bague, il annonça que le whist était suspendu. Les joueurs reprirent leurs cartes, d'autant plus volontiers que leur position était plus incertaine dans la partie précédente.

« Souhaitons la bienvenue à monsieur Zhang. Il nous propose un tournoi de mah-jong. Deux fois quatre manches seront disputées par des équipes de quatre joueurs. Le vainqueur de chaque équipe rencontrera les champions des autres lors d'une finale. Au gagnant ultime, Wei ici présent fera le don généreux de sa maison dans la banlieue de Shenyang.

– Quelle adresse ? s'enquit un habitant de la ville.

– Monsieur Zhang ?

– 74, rue Ziqiang », s'entendit répondre Wei.

La main du portier jouait aux osselets avec sa colonne vertébrale.

Il fallut expliquer cet enjeu inhabituel aux novices. Certains d'abord le trouvèrent appétissant, avant d'apprendre que la maison serait démolie et ses occupants expropriés à cause d'une opération minière.

« Fan, est-ce une plaisanterie ? À quoi bon remporter cette maison, si elle va être rasée ?

– C'est vrai, ça !

– Continuons plutôt la partie de whist !

– Du calme, les amis…, sourit monsieur Fan en taqui-nant la capsule de bière à son oreille. J'admets que la mise est un peu chiche. Mais je n'attends pas de joueurs distingués qu'ils mordent au seul appât du gain ! Per-sonne, que je sache, n'a besoin d'argent autour de cette table ? Personne ne compte sur le mah-jong pour se renflouer ? »

Un large clin d'œil plissa la face du millionnaire, telle à cet instant qu'une pâte étalée qu'on fronce de la main. De petits rires saluèrent la boutade du maître de la mai-son.

« Pas toi en tout cas, Chen Jian ? Il paraît que tu as vidé tout seul le distributeur de lingots de la Banque commerciale agricole !

– J'avoue ! lança un monsieur à grosses lunettes.

– Ni toi non plus, Niu Xiong ? J'ai lu que tu remon-tais de trois places dans le classement des fortunes du Liaoning ! Hein, mon cochon ? Mais peut-être toi ? Oui, toi, Guo Dai ! Ah, ah, ah ! Ne te cache pas derrière ta voisine, même si elle a de gros seins ! Le cours des pétrolières a baissé, combien de dizaines de milliers de yuans as-tu laissés filer pendant ta partie de golf ? Ah, ah, ah ! »

Les rires s'amplifiaient, secouant les gros ventres et agitant le whisky dans les verres. Le dénommé Guo Dai portait debout un toast aux vingt-trois mille yuans qu'il venait en effet de perdre et dont, se vantait-il, il se fichait comme d'une traînée de sperme sur le cul d'une pute tibétaine.

« Ou bien, si quelqu'un est gêné, qu'il le dise ! termina Fan. Par amitié, nous lui trouverons quelques liasses de cent à lui fourrer dans la poche ! Ah, ah, ah ! »

Cette fois, le rire fut général. Il y eut des envols de serviettes et des tombées de chaises, comme si un ouragan s'était promené dans la pièce. Un obèse, au bord de l'apoplexie, écarta vivement les pans de sa chemise, faisant sauter les boutons d'ambre jusqu'au nombril.

Monsieur Fan, une main plongée sans façon dans l'encolure de sa voisine, balançait l'autre avec un cigare au bout.

« Non, non, non ! Rien à faire ! Je maintiens l'enjeu, les amis… S'il n'y avait qu'une raison, ce serait par respect envers notre hôte. Comment s'appelle-t-il, déjà ? Ah, oui ! Zhang Wei. Regardez ce pauvre homme… Il place sa maison, son seul bien, le toit de ses enfants et sa digne épouse, à la merci d'une belle combinaison de tuiles ! Il donne tout ce qu'il a, les mains ouvertes, un grand sourire d'imbécile étalé sur la figure. Montre-la-nous, cette figure, Wei ! Fais-nous voir ta trogne de plouc ! »

La tête de Wei avait plongé au ras de la table, mais il sentit des doigts lui empoigner les cheveux et tirer farouchement. La douleur perça, s'enragea, devint insupportable. Quelques mèches furent arrachées avant que le portier, variant de torture, n'empoignât son menton et ne redressât la tête de toute sa force. L'index et

le majeur de l'autre main tenaient ouverts les yeux du
supplicié.

Il vit donc, il n'eut pas d'autre choix que de voir.

Parmi les joueurs se trouvaient des femmes, toutes
très belles et d'une certaine distinction auprès des
hommes pochards et tapageurs qui les flanquaient. Des
robes mates ou scintillantes, légères pour la saison, voilaient leurs épaules à l'égal d'une fumée. Elles avaient
des sacs à main d'une minceur irréelle, plats comme des
limandes et frangés comme ces poissons d'une barbe
souple, aux longs brins solidaires. Sans doute un peu de
champagne avait-il coulé entre leurs lèvres peintes, mais
ça ne se voyait pas. Elles tenaient leur rôle d'épouses
discrètes ou de courtisanes dévouées, interdites de jeu
bien sûr, mais admises à la table qu'elles décoraient
avantageusement, et qu'à tout instant les brillants
autour de leurs poignets et de leur cou constellaient de
feux blancs. Yun n'aurait pas déparé au milieu d'elles,
songea Wei, qui détesta aussitôt cette idée.

« Qu'en pensez-vous, les filles ? Il vous plaît, ce
gars-là ? Envie de saucer son petit haricot ? »

Monsieur Fan se leva et tira une chaise près de l'ouvrier,
de sa tête rougeaude que le portier continuait d'écraser
sur la table. Avec douceur, presque avec tendresse, il
écarta les lèvres de Wei et y vissa son propre cigare.

« Wei, regarde autour de toi... Il y a ici les plus belles
filles de Shenyang, peut-être de toute la province !
Admire-les, ce sont des œuvres d'art. Franchement,

elles ne sont pas à tomber ? Moi, j'en baise tous les soirs comme ça, mon gars. Une ou plusieurs. Et certaines, à la semaine, me coûtent le prix de ta baraque… Tu n'imagines pas comme c'est bon. Elles savent y faire, tu sais ? Des chattes de ce calibre, tu n'es pas près d'en brouter. Et des culs ! Le morceau noble ! Certains, je t'assure, ils auraient leur place au musée… Leur dignité, je veux bien, mais j'y croirai quand mon lit refroidira un peu, d'accord ? Quand il n'y aura pas vingt filles sublimes accourant dès qu'on froisse un billet ! Allez, regarde encore… Regarde et salive, pauvre fiotte ! »

Wei regardait, les doigts du portier enfoncés dans ses orbites. Tant de larmes ruisselaient sur ses globes qu'il ne voyait heureusement plus grand-chose. Peu d'images accédaient encore à sa conscience mais, dans le lot, un détail l'accablait, un détail d'une infinie tristesse dont il n'arrivait pas à se distraire. C'était la méchanceté dans les yeux des femmes. Sous les paupières fardées brillait la même lueur d'amusement cruel que chez les hommes, et aussi peu de compassion.

« Les filles, je vous ai posé une question ! clama le millionnaire retourné à sa place. Vous voulez baiser Wei, oui ou non ?

– Beurk !

– Il est moche !

– Allez, je suis bon, je veux bien payer ! soupira Fan, froissant quelques billets qu'il sema sur la table de jeu. Je veux bien payer pour lui ! Ça le changera de la matrone qui doit l'attendre à la maison, accroupie pour chier derrière la bassine à beignets ! Cinq cents, ça va ? Toujours non ? Pas tentées ? »

Le millionnaire se tourna vers Wei et, l'air désolé, battit ses cuisses avec ses bras.

« Désolé, Wei, tu n'as vraiment pas de succès avec ces dames. Elles ont tort, d'ailleurs... Car c'est un homme bien, ce Zhang Wei ! Pas très présentable, je vous l'accorde. Mais quelle âme ! Quelle générosité ! Rappelez-vous, il nous donne sa maison ! Lui qui n'a pas assez de sous pour s'acheter un blouson convenable ! N'est-ce pas tout à fait noble ? Qui sommes-nous, pour le priver d'une aussi bonne action ? Et vous voudriez discuter la valeur du lot ? Voyons, ce serait lui faire injure ! Ah, ah, ah ! »

Il fallut quelque temps pour dissiper l'hilarité qui s'était emparée des joueurs, et que ravivaient de proche en proche les blagues du millionnaire. La partie de mah-jong semblait oubliée et Wei, malgré l'extrême confusion de ses idées, en eut du soulagement. Hélas on y revint, un moment plus tard.

« Et le mah-jong ? lança le financier aux grosses lunettes.

— Le mah-jong, bien sûr ! Où avais-je la tête ! Ne faisons pas attendre notre ami Wei... »

Les joueurs se répartirent en équipes pendant que monsieur Fan, les manches roulées au-dessus des coudes, brassait les tuiles face cachée. Wei connaissait le bruit sec et dur des tuiles en plastique qui s'entrechoquent sur une table en bois mais ignorait celui, plus mat, des tuiles d'ivoire heurtées sur un tapis de feutre. Sous la lumière franche, les petites pièces d'os gardaient leur teint laiteux, aux angles jaunissants. On aurait dit, tombées au fond d'une caisse de piano, les touches émoussées d'un vieux clavier.

« Écoute, Wei, écoute le chant des tuiles ! C'est une marche funèbre qu'elles jouent sous mes ongles ! Que comptes-tu faire après ce bon moment passé ensemble ? Retourner chez toi ? Hum. Je ne crois pas que nous te laisserons partir… Les liens sont si forts entre nous. »

Monsieur Fan était un peu essoufflé. Brasser les tuiles lui avait donné chaud. Le millionnaire confisqua l'éventail de sa voisine et le battit avec tant d'ardeur, d'impatiente démesure, que l'ustensile se disloqua entre ses doigts. Le portier en reçut les débris avec cet ordre époumoné :

« On crève, ici ! Qui nous a fichu ce climat à faire mûrir les mangues, en plein janvier ? Ouvre la fenêtre, crétin ! Dépêche-toi ! »

Wei tressaillit quand se retirèrent les doigts enfoncés dans ses yeux. Il vit son tortionnaire se mouvoir vers la fenêtre, en fait une large baie vitrée coulissant sur un rail, à l'arrière du salon. D'un coup de pouce, le portier manœuvra le loquet et commença à déplacer le panneau de verre. Il vint bien au début, puis parut se coincer. Le rail sans doute était tordu.

«Alors, tu y arrives? glapit monsieur Fan. Il ne faut pas que je t'aide à ouvrir une fenêtre, quand même?

– C'est coincé.

– C'est coincé… Le benêt! Tu n'as qu'à pousser plus fort!»

L'ouverture suffisait à avaler un peu d'air. Un souffle entra, preste et souple comme une anguille, et s'enroula autour de la pièce. Il rafraîchit les nuques et claqua, vivifiant, au front des joueurs. Une odeur de neige força les poumons qui, depuis un moment, suffoquaient dans la nue grise du tabac et les émanations d'aisselles.

Peu à peu, centimètre après centimètre, la baie s'élargissait sous l'effort du portier. Plus loin glissait le carreau, plus vif était le courant d'air, meilleur l'effet sur les pensées engourdies. Des filles s'écrièrent, leurs épaules nues fouettées par la bise du dehors.

La fenêtre était grande ouverte à présent, le domestique aurait pu en rester là. Mais le panneau n'avait pas atteint la butée et, par fierté peut-être, pour exaucer pleinement son maître, l'homme s'arc-bouta dans un dernier ahan.

«Qu'est-ce que tu fiches?

– J'ai fini, monsieur Fan!»

Le combat du portier et de la fenêtre divertissait les invités. Tout le monde suivait l'attraction, des paris fusaient d'un bout à l'autre du salon pour savoir qui, du domestique ou du panneau de verre, aurait finalement le dessus.

« Allez, plus fort !

– Quelle mauviette !

– Va l'aider, Ping ! »

Wei aussi regardait. À lui aussi, l'air glacé qui s'engouffrait faisait du bien. Il n'avait presque plus mal. Son esprit longtemps ligoté reprenait possession de lui-même. Le zip de l'anorak brillait dans sa main comme un sou neuf. Il le baissa, le remonta jusqu'au cou, releva le col de la parka.

Soudain, un trait de froid lui calotta les joues, il inspira, s'emplit les poumons de cristaux. Il inspira encore, la première fois qu'il avait embrassé Yun c'était jour de neige et ses yeux fondaient comme des flocons sur le poêle, il ferma les yeux, les rouvrit, Yun avait chu du ciel avec la première neige de novembre, jamais il n'oublierait, une femme aussi belle, et le jeune homme qui se croyait un dur avait pleuré en lui faisant l'amour, pleuré de gratitude tel un paysan qui voit sa terre enfin abreuvée, il engoula l'air froid, Yun ma toute belle, Yun ma douce, Yun ma grâce et mon aubaine, je t'aime ; il inspira mâchoires ouvertes et ravala un cri…

Soudain, Wei Zhang bondit de sa chaise et se jeta par la fenêtre ouverte de l'appartement de monsieur Fan.

Sa chance fut un étendoir à linge, de ces modèles patauds qui s'accrochent aux balcons. Un locataire avait déployé le sien côté rue, au mépris flagrant du règlement intérieur. Par hasard, la cheville de Wei s'accrocha, et lui-même battant l'air des deux bras parvint à saisir une grande couverture qu'il entraîna dans sa chute, s'y entortillant malgré lui.

Autre circonstance heureuse, les employés de la voirie avaient cessé le travail depuis trois jours et laissé venir partout une neige blanche et vierge telle qu'au flanc des montagnes. Elle enrobait les trottoirs, étoffait les bosquets, ajoutait partout son épaisseur. Deux mètres au moins s'amoncelaient sous la fenêtre de l'appartement.

Vers dix-sept heures, une forme gesticulante s'abattit donc sur une congère assez moelleuse au pied de la tour Oriental Bliss.

Juste avant d'atteindre le sol, Wei heurta violemment un réverbère dont le fût creux se mit à vibrer, propageant dans le cône de lumière jaune de grandes oscillations. Ce phénomène lumineux capta l'attention des clients attablés en face, dans la rôtisserie de madame Ouyang, nombreux malgré l'heure avancée. Ils furent plusieurs à sortir, la serviette autour du cou, certains continuaient de mâcher leur viande ou mordaient un pilon de poulet.

Cependant, le premier sur les lieux fut un cycliste, qui roulait sous la tour à l'instant où Wei s'était précipité du quatrième étage. L'homme bondit de sa selle et courut vers l'endroit où Wei avait atterri. Plus il approchait du trou (car c'était bien un trou, large et profond, que le malheureux avait creusé dans la neige), plus cependant il semblait hésiter. Arrivé tout près, il n'osa pas se pencher mais tendit le cou, une jambe pliée, l'autre droite, dans la posture fendue de l'escrimeur.

Soudain, une exclamation.

«Que se passe-t-il? lança-t-on depuis un balcon du deuxième étage.

— Il n'y a personne!

— Quoi?

— Le trou est vide!

— Impossible! fit un autre. Il n'a pas pu se relever!

— Merde! Merde! Merde!» paniqua le cycliste.

Affolé, l'homme dévala le monticule de neige et enfourcha son vélo.

Cela fit reculer tout le monde. Les clients du restaurant, qui venaient d'en sortir, s'y réfugièrent de nouveau et poursuivirent tête basse leur bol de soupe à peine tiédie. Madame Ouyang monta le son de la télévision. Des flots de vapeur affluèrent des cuisines – quatre feux volubiles chargés de woks noircis, qu'aucune cloison ne séparait de la salle. En un instant, la devanture vitrée de l'établissement se couvrit entièrement de buée.

Personne ne repéra les trois hommes en costume qui sortirent de l'immeuble, le dernier portait une arme luisante à peine dissimulée. À leur tour, ils s'avancèrent vers le trou, regardèrent au fond, n'en crurent pas leurs yeux.

*Le conte
des insulaires malgré eux*

Quand l'ange revêt l'armure

Son réveil advint dans une totale obscurité. La chambre, découvrit-il en allumant la lampe de chevet, servait de remise à une dizaine de ventilateurs sur pied, rangés debout contre une cloison. Il n'avait pas enregistré ce détail en pénétrant dans la pièce.

Pour le reste, l'aménagement était standard : une table, une chaise, un lit géant, un guéridon porteur d'une bouilloire et d'un service à thé… le tout, aussi impossible à étiqueter « chinois » ou « asiatique » que devait l'être le mobilier d'une chambre jumelle, dans un *Buena Vista Inn* de Dubaï ou de Mexico. Mais le mur était décoré. Espacés régulièrement d'un mètre, des cadres offraient divers points de vue sur le barrage des Trois-Gorges et un réseau de canaux cimentés.

Cheng tira les rideaux et lâcha un soupir en constatant que dehors, c'était la nuit. Certes, la nuit n'était pas noire – entre autres caractères que la tradition lui conférait mais qu'en vérité, elle avait perdu presque partout. La nuit de Shenyang n'était pas non plus très calme, et des sirènes d'ambulances, des cornements d'engins perçaient à tout instant l'épaisseur du double vitrage ; elle n'avait rien enfin d'immobile, dans les rues avoisinantes frétillaient, plus ou moins, le même contingent d'autos et de piétons qu'en plein jour.

Cependant, au bas de l'hôtel et dans le champ de la fenêtre, s'ouvrait un espace d'une texture différente, une percée dans la ville comme la clairière est une percée dans la forêt. C'était une zone sans lumière, aux détails près d'un signal de voie ferrée et d'un pointillé d'éclairage public. Elle paraissait vide ou, du moins, dégagée de ces hautes constructions qui crêtaient l'horizon de Shenyang. On aurait dit une grande étendue d'eau, obscure et remuante, un océan surgi là, à deux cents kilomètres des côtes.

L'esprit du dormeur était encore confus, et il resta quelques secondes sous l'empire de cette illusion. Cheng crut le *Buena Vista Inn* érigé en bord de mer et sa propre chambre, dominant des vagues qui battaient sourdement le pied du bâtiment.

Puis il se rappela : le trou. Le trou dont la China Metal Corporation avait commencé l'excavation.

Depuis l'arrivée des premiers engins à Xisanjiazi, le trou s'étendait et s'approfondissait à toute allure. C'était spectaculaire, de jour : le fourmillement des ouvriers, l'incessant va-et-vient des camions et des pelles mécaniques dont l'affluence jaunissait des hectares de terrain. Au rythme actuel, vidanger les deux millions d'hectolitres du réservoir Zhu'er, par exemple, serait l'affaire d'une semaine. Mais c'était la nuit qu'on mesurait le mieux la progression du chantier, c'était dans l'obscurité que le gouffre avouait ses vraies dimensions et qu'il donnait toute sa mesure. Dans l'ombre s'épanchait chaque nuit une ombre plus noire, une encre plus opaque qui était le trou en formation. Il était effrayant à regarder, ce néant qui s'ouvrait au pied des immeubles et où toute la ville, érigée au bord, semblait près de basculer.

L'ancien cheminot chercha comment ouvrir la fenêtre, mais le poseur de vitrage ne semblait pas avoir prévu cette éventualité. Aucune poignée, aucun dispositif pour faire glisser l'un sur l'autre les panneaux de verre. Réflexion faite, ce n'était pas une fenêtre mais une découpe transparente de la façade, un élément de variation esthétique pour rompre la monotonie du ciment ratissé.

Cela se flairait d'ailleurs dans l'air confiné de la chambre : ces odeurs-là, de plastique, de savon, d'électronique surchauffée stationnaient depuis des mois dans la pièce, à la façon de strates anciennes composant un sous-sol. Régnait sur cet essaim de molécules une grosse boîte vissée au plafond, pleine de soupirs et de larmoiements telle une veuve éplorée : le climatiseur.

L'appareil réglé à pleine puissance soufflait une bise glacée sur le lit. Cheng chercha la télécommande, ne la trouva pas et descendit s'en plaindre à la réception. De toute façon, il n'allait pas se rendormir de sitôt.

Dans le couloir, Cheng croisa un étranger très affairé, coiffé d'un casque mais vêtu d'un complet, dont le bras s'arrondissait sur un énorme classeur aux feuilles dépareillées. Il se retourna pour voir l'homme disparaître dans une chambre jouxtant la sienne.

Aussitôt après, l'ascenseur libéra tout un groupe d'hommes assortis, casqués eux aussi, en blouse ou en manteau, certains traînaient sans vergogne des bottes boueuses sur la moquette, qui s'égaillèrent en direction des chambres. Ils avaient des conversations auxquelles l'ancien cheminot n'entendait rien, mais qu'il jugea très bruyantes pour l'heure et pour le lieu. Plusieurs pressaient un téléphone contre leur oreille, l'un d'eux usait d'un énorme talkie-walkie qui, longtemps plaqué contre sa joue, y avait imprimé ses angles saillants. Cheng, entré en collision avec un grand costaud, s'attira un coup d'œil indifférent.

Il renonça à prendre l'ascenseur que d'invisibles passagers sollicitaient à tous les étages du bâtiment. Les boutons d'appel clignotaient éperdument et il entendait la cabine monter ou descendre en frôlant les portes métalliques. Dans les escaliers aussi déferlaient les clients. Une circulation à double voie s'était établie entre les étages, autant d'ouvriers partant à l'assaut des marches que les dévalant. Une ou deux fois, Cheng dut sortir sur le palier pour laisser s'épancher le flot.

À la réception, c'était l'agitation d'une soupe près du point d'ébullition. Les mêmes hommes à casque et à sifflet qui colonisaient les étages saturaient aussi le hall, dont canapés et fauteuils étaient recouverts jusqu'aux accoudoirs par l'invasion.

«Dites donc, votre machine, là? Le climatiseur? Il marche pas bien. On se gèle, dans la chambre.

– Quel numéro, monsieur?

– 44, comme ma locomotive.

– Pardon?

– Rien. Chambre 44. Alors, vous arrangez ça?

– Nous nous en occupons, monsieur.»

Cheng sortit sur l'esplanade fumer une cigarette. Devant l'hôtel, des autobus aux suspensions aplaties, fenêtres béantes et rideaux pendus dehors, se vidaient continûment de leurs passagers. Des ouvriers, encore. L'ancien cheminot repéra quelques femmes, mais sanglées dans des blouses qui limitaient l'expression des tailles et des poitrines : sauf leur timbre de voix, une quinte plus haut que leurs collègues, on aurait cru des hommes.

Ce fut alors qu'au sein des figures anonymes qu'engloutissaient les portes du *Buena Vista Inn* perça un visage de connaissance. La cigarette lui tomba des lèvres, il se plia pour la ramasser, sans quitter des yeux l'apparition.

« Yun ? C'est toi, Yun ? Qu'est-ce que tu fais là ? »

Madame Zhang se tenait au bout du trottoir, les bras croisés, trépignant à cause du froid. Elle portait son anorak violet de toujours, serré à la taille et s'évasant plus bas sur l'arrondi des fesses. Un fuseau de coton jaune, fonçant déjà aux genoux, gainait ses cuisses élancées. Cheng sourit. Elle trottina vers l'ancien cheminot.

« Tu nous as donné la carte de l'hôtel.

– Oui, et alors ?

– Je viens de la part de Wei.

– Qu'est-ce qu'il a ?

– Il est arrivé un accident. Ce serait trop long à t'expliquer. Une embrouille avec monsieur Fan… Wei s'est jeté d'une fenêtre. C'est un miracle qu'il s'en soit tiré. »

Sous les cils de madame Zhang roulaient deux billes noires, en contraste avec l'œil très blanc. L'émotion sans doute, une crainte indéfinie animaient les prunelles d'un mouvement rapide, d'un coin des yeux à l'autre. L'ancien cheminot savoura un instant ce visage offert à sa contemplation : le front pur, les tempes bombées, lèvres et paupières d'un dessin idéal, façonnées à petits plis telles des découpes de papier. Bonté que cette femme était belle ! Belle et désirable !

« Viens dans ma chambre, on parlera plus à l'aise ! avança Cheng, honteux de sentir roidir sa verge dans l'entrejambe du pantalon.

– Je n'ai pas le temps, Cheng. Et je ne suis pas là pour discuter. Wei m'envoie chercher quelque chose… »

Cheng un peu déçu fit provision de fumée dans ses joues et souffla au joli nez de Yun – pas tout à fait : le jet bleu suivit une trajectoire d'évitement, assez rase pour embêter la fille, assez large pour ménager ses poumons. Une belle agacerie, pour qui savait apprécier ce style de voyous. Madame Zhang se détourna en toussotant.

« Alors ? Tu peux nous aider ?

– Ça dépend. C'est quoi que tu viens chercher ? »

Yun promena ses yeux sur l'esplanade avant de répondre :

« Une arme... Un pistolet... Wei dit que tu l'as trouvé sur les rails, et que tu l'as toujours. »

Sa voix n'était plus qu'un chuchotement. L'ancien cheminot se courba vers Yun, moins grande d'une tête. Ce faisant, il coula un regard attendri vers les petits seins qu'on devinait dans la double échancrure de l'anorak et du pull : la même émotion qu'il avait, enfant, quand sa mère l'envoyait dénicher au poulailler les œufs frais pondus, globes tièdes et palpitants dans leur collet de paille.

« Le pistolet, oui. Ça se pourrait.

– Alors, tu peux nous le prêter ? Wei va en avoir besoin.

– Pour quoi faire ?

– Pour se défendre, si jamais ça tournait mal. Pour protéger la maison.

– Ah bon. »

Cheng aspira son mégot allumé, l'éteignit dans un

bain de salive, le ressortit noir et mouillé sur sa langue, le ravala enfin en souriant.

Un instant, l'idée le traversa de profiter de la situation. Que risquait-il à demander une petite gâterie, en échange du pistolet ? Ou rien qu'un baiser, mais profond, de bon cœur et d'un tour de cadran au moins ? Il faut dire que son sexe continuait de durcir, l'ancien cheminot n'avait plus tout à fait sa tête. S'il comptait les années depuis qu'une fille avait eu des faveurs pour lui... Ça lui semblait d'un autre siècle, le monde était en noir et blanc.

Hélas, ce n'était pas son genre de marchander. Il eut un soupir en extrayant un brin de tabac qui s'était fiché à l'intérieur de sa bouche, entre une fausse dent et une vraie.

« Alors ?

– Attends-moi ici ! Va t'asseoir sur le banc, à côté des chariots. J'arrive... »

Dix minutes plus tard, car il avait dû prendre l'escalier aller et retour, Cheng reparut avec un paquet. C'était le sac à linge, gonflé de plusieurs housses de chemise qu'il avait bourrées à l'intérieur. Yun reçut le ballot avec émotion.

« Ça pèse, dis donc !

– Le chargeur est plein. Huit balles. Ce sera moins lourd quand il aura tiré. S'il tire, bien sûr !

– Merci, Cheng. »

L'ancien cheminot dégagea sa joue – son dernier

espoir, un petit bécot. Mais la jolie Yun s'esquiva d'un bond en arrière, telle une biche au coup de feu. Quand ils le voulaient, ces animaux-là semaient n'importe quel fauve.

« Toujours fâchée contre moi, hum ? »
Elle avait déjà disparu.

Tant qu'ils seront au monde

Le pistolet était posé sur la table, sous l'ampoule, comme autrefois le carton plein de billets. C'était l'endroit le mieux éclairé de la maison et l'arme brillait de tous ses feux sous la lumière artificielle. Il faut dire que madame Cui l'avait astiquée comme il faut, graissée aussi – un peu trop : la crosse glissait des doigts et le canon pleurait des gouttes d'huile sur le bois de la table. Tant il reluisait, le pistolet d'acier semblait neuf, coulé la veille aux forges de Shenyang.

Splendide objet, en vérité. C'était un bijou qu'on voulait posséder, une machine à la fois simple et ingénieuse qui semblait concentrer le génie sombre de l'espèce. Facile à saisir, d'un bon poids dans la main et, si l'on oubliait sa trouble vocation, pas plus menaçante qu'une langouste sur un chiffon de cuisine.

L'un après l'autre, les Zhang avaient soupesé le pistolet, l'avaient tenu à bout de bras, avaient collé leur œil au canon et ajusté pour rire la télévision, au grand dam de l'oncle Hou-Chi que ça n'amusait pas. Tous, sauf Meifen à qui son père défendait la manipulation de l'arme. Il était clair cependant que le pistolet revenait à Wei, qu'il en était maître et seul éventuel usager. Une fois assouvie la curiosité familiale, il confisqua son bien : le pistolet glissé à sa ceinture disparut de la circulation.

Wei était rentré indemne de sa visite à monsieur Fan, ce qui, de la façon dont la visite s'était conclue, paraissait incroyable. Monsieur Zhang créditait la neige de ce miracle ; la neige et son anorak matelassé qui, disait-il, avait absorbé une partie du choc. Son épaule gauche n'en avait pas moins souffert, et le membre relatif était encore couvert d'ecchymoses deux jours après l'accident. Mais Wei était droitier, et voyait peu d'inconvénient à l'immobilisation de son bras gauche, sanglé dans une écharpe en chiffon. Il comptait pour rien, non plus, les trois orteils irrémédiablement gelés lors de son retour nocturne, à pied, depuis le centre-ville jusqu'au quartier Xisanjiazi.

L'épreuve l'avait assombri. Il avait beaucoup pleuré en retrouvant sa femme et sa fille, les avait étreintes amoureusement. La fatigue et les douleurs n'avaient pas retardé des retrouvailles plus tendres puisque, la même nuit où Wei était revenu de Shenyang, le couple avait tendu la serviette en travers de la chambre et s'était aimé comme jamais.

Cependant, dès le lendemain, une sorte d'abattement était tombé sur Wei, tel qu'en traversent, paraît-il, les rescapés d'un naufrage hasardeux. Debout derrière la fenêtre, assis avec Hou-Chi devant la télévision, arpentant d'un pas mou le jardin enneigé avec une cigarette, monsieur Zhang semblait s'être absenté du monde.

Vers midi, stimulé peut-être par l'odeur d'épices qui errait dans la maison, le chef de famille forma une décision : il allait descendre dans le trou en quête des sacs de charbon. Il fut jusqu'à enfiler ses gants mais, à l'instant de franchir le seuil, toute force parut se retirer de lui. Ses jambes se dérobaient et il demanda une chaise pour s'asseoir. De la chaise, il tomba au lit – un matelas dans la chambre, ou plutôt la pile de matelas qu'on venait de faire et qui chavira sous son poids.

Wei demeura étendu tout l'après-midi, le regard au plafond. Une lueur sombre était entrée dans ses yeux, un feu noir où madame Cui, superstitieuse, voyait imprimé le sceau du démon. Tout ce temps, Yun qui lui tenait compagnie l'entretint à voix basse. Parfois aussi, elle caressait sa main ou couchait dessus sa propre joue et ils restaient ainsi, muets, la bien-portante veillant sur le blessé, dans un total oubli du monde.

Une idée hantait monsieur Zhang : Fan allait se venger. C'était un homme violent, qui lui gardait sûrement rancune de son évasion. Ou bien, si le millionnaire se désintéressait de son cas, la menace viendrait d'autre part : du chantier qui cernait leur propriété et prenait chaque jour plus d'ampleur, au point qu'on ne pouvait plus guère quitter la maison, dans aucune direction, sans braver des parois et des éboulements qui remplaçaient les constructions d'autrefois.

D'emblée, le trou avait eu un diamètre imposant et une grande profondeur ; c'était une franche bouchée qu'avaient prise les pelleteuses, dévorant le sol de bon appétit. Pourtant, le fossé du début, celui où Wei avait fait rouler son charbon, ne formait qu'une ébauche du gouffre à venir, ce que la maquette d'une construction est au bâtiment en vraie grandeur.

Le trou actuel était une fosse de deux cents mètres de long et cent mètres de large, qui descendait par endroits à trente-six mètres sous la surface du sol. Pour en restituer l'échelle, il fallait imaginer une petite montagne, retournée, qui aurait laissé son empreinte concave dans la terre. C'est sur ses flancs qu'œuvraient nuit et jour une trentaine d'engins – tombereaux, bouteurs, excavatrices, grouillant là-dessus comme des bestioles sur un quartier de viande.

Du paysage d'autrefois, il ne restait à peu près rien. Les bâtiments de l'ancienne briqueterie avaient disparu les premiers, incluse la haute cheminée fauchée à l'explosif dans un vaste soulèvement de poussière – le soir même, le site était nettoyé. Puis le tour était venu du poste d'aiguillage et des entrepôts ferroviaires, de l'immeuble de la manufacture de tissus, enfin des rares maisons encore debout de la rue Ziqiang et des environs, plus quelques murs à moitié éboulés qui nervuraient la zone.

Pendant qu'on détruisait à grand renfort de dynamite,

d'autres machines entraient sur les terrains déblayés et commençaient d'ouvrir la tranchée. Elle avait débuté au sud avant de progresser vers l'est et vers l'ouest, comme des bras qui s'écartent pour étreindre. Ainsi s'était formé le trou, par le rejoignement de deux sapes lancées l'une vers l'autre. Pour finir, la partie centrale s'était effondrée, doublant d'un coup la surface du gouffre et lui procurant sa forme ovale définitive.

Ces opérations n'avaient pas été sans conséquence sur le quotidien de la famille Zhang, témoin impuissant de la démolition du quartier. Même le placide Hou-Chi se plaignait des trépidations du sol, bien réelles à présent, qui remontaient dans ses genoux et tourmentaient ses articulations usées. Les vitres frissonnaient, les murs tremblaient en formant d'inquiétantes lézardes. Une brique s'était même déchaussée lors d'une explosion. Certains soirs, la neige salie tombait grise, comme soufflée d'un volcan.

Mais le plus dur avait été, à deux jours d'intervalle, la rupture de la canalisation qui alimentait la maison en eau, puis du câble qui fournissait l'électricité et qu'on voyait pendre à un poteau, de l'autre côté du gouffre. Le robinet lâcha sa dernière goutte ; bouilloire et radiateur s'éteignirent dans un funèbre *diminuendo*, illustrant le déclin du confort domestique.

« Je vous l'avais bien dit ! gronda le chef de famille. Il fallait garder le poêle ! Sauver le charbon ! Jamais nous n'aurions dû renoncer au charbon ! »

Meifen eut l'idée d'ouvrir la pochette laissée par l'ingénieur du Comité. Le troisième feuillet concernait le transfert ordonné par la municipalité de Shenyang, et en fixait la date – une date à présent dépassée. C'était la même date qu'indiquaient les avis d'expulsion, longues bandes autocollantes à fond rouge apposées sur la grille et le mur extérieur de la propriété. Hou-Chi compara ces rubans antipathiques aux marques laissées par les bûcherons sur les arbres, pour se rappeler lesquels abattre.

Personne pourtant n'avait frappé à leur porte. Nulle escouade de policiers n'avait escaladé l'enceinte pour procéder à l'expulsion.

« C'est simple à comprendre, ronchonna madame Cui. Ils attendent qu'on crève de froid !

– Nous n'allons pas leur faire ce plaisir ! »

Une fois déjà, les Zhang avaient armé la maison contre l'hiver. Ils s'y attelèrent de nouveau. Les matelas furent dressés contre la porte et une moitié de fenêtre ; les fentes des murs furent comblées avec de vieux chiffons ; on recensa les couvertures et les vêtements disponibles, enrôlés sur-le-champ pour étoffer les corps. Ces préparatifs donnaient de l'exercice à tout le monde – source naturelle et gratuite de la chaleur la plus saine, celle qui parcourt des muscles actifs. Meifen alla jusqu'à transpirer, ce qui dans l'atmosphère déjà très fraîche parut à tous un enchantement, et comme un signe d'espoir.

Enfin, les sorties furent rationnées pour laisser pénétrer le moins possible d'air extérieur. Il fut défendu d'ouvrir la porte sans une bonne raison, et strictement interdit d'ouvrir la grille : savait-on si derrière n'étaient pas attroupés des policiers en armes, attendant cette occasion de pénétrer dans la propriété ?

Or, à peine voté et entré en vigueur, ce règlement connut sa première infraction. Cinq jours environ après le retour de Wei, un large pan du mur d'enceinte s'effondra, d'un seul coup et d'un seul morceau. Yun était à la fenêtre, et put tout voir. Elle témoigna que le mur ne s'était pas éboulé sur le sol mais qu'il avait, selon toute vraisemblance, basculé entier dans le vide. Un bruit mat s'était d'ailleurs fait entendre, quand les blocs avaient tapé le fond du gouffre.

Tous les Zhang à la file quittèrent la maison. Les anciennes limites de la propriété, marquées naguère par cette solide paroi de briques, ne consistaient plus qu'en quelques moellons attachés aux côtés de la grille, laquelle mystérieusement était restée debout. Autour de l'entrée, le long du soubassement rectangulaire qui avait porté le mur d'enceinte, le terrain s'émiettait dans un ravin d'une profondeur insondable. Ce fut du moins l'impression de Yun, première à s'approcher, et qu'un vertige dangereux saisit au bord du précipice – vite, Wei la rattrapa par le coude.

«Recule ! Tu es folle ? »

Non loin du sumac, une avancée de terre d'aspect plus compact lançait un promontoire au-dessus du vide. Les racines de l'arbre sortaient d'ailleurs de ce côté, quelques centimètres de bois noir et retors mis au jour par l'éboulement. C'étaient elles, peut-être, qui affermissaient le sol.

Monsieur Zhang s'aventura le premier, puis fit signe aux autres de le rejoindre.

« Venez par là. Faites attention où vous mettez les pieds… »

La famille se rassembla à deux pas du fossé, si près qu'en étirant le cou, les Zhang aperçurent leur reflet dans une grande flaque au fond. Cinq formes grises aux contours ondoyants peuplaient ce miroir d'eau sale, où trempait une bâche et rouillaient des bidons. Sur le pourtour de la flaque, un cordon de neige donnait un cadre au tableau de famille. Se contempler là-dedans, voir leurs images flotter à la surface d'une mare huileuse avait quelque chose de triste et d'accablant. C'était comme se mirer sur la lame d'un meurtrier, tachée encore de sang humain.

En tout cas, les Zhang appréciaient maintenant leur situation. Des quatre côtés, la parcelle qui portait la maison et le jardin était cernée par un gouffre d'au moins trente mètres de creux, et d'une circonférence gigantesque. Sa forme n'était plus celle d'un trou, plutôt d'un entonnoir à la pente adoucie, taillée en escalier pour faciliter la circulation verticale des engins. Des brumes erraient çà et là sur les parois, et quelques oiseaux au long vol plané comme il en glisse dans les abîmes himalayens.

Inversement, la maison occupait au milieu du fossé un piton d'une trentaine de mètres de hauteur, ou faut-il écrire d'altitude ? Ce n'était plus une construction fondée sur le sol, parmi d'autres de même niveau, mais un chalet coupé de tout, un nid d'aigle au sommet d'un pic. Pour aller où que ce fût, il faudrait tenter de périlleuses escalades.

«Désormais, nous habitons une île ! observa gravement madame Zhang.

– Une île ou une montagne. En tout cas, une solitude.

– La question n'est pas seulement d'y accéder, mais d'en sortir. Comment va-t-on manger, si l'on ne peut plus aller aux provisions ? »

Yun fit l'inventaire mental de leurs réserves : un fond de riz, deux cageots de légumes, quelques conserves de poisson, deux grosses bonbonnes d'eau dans un coin, plus le contenu de la bouilloire.

«Nous sommes fichus ! prédit l'épouse. On tiendra deux jours, trois jours au plus.

– Et l'école ? Je ne pourrai plus aller à l'école ?

– Personne ne pourra plus aller nulle part, ma chérie.

– Regardez ! Là-bas ! »

Hou-Chi tendait l'index vers le bord opposé du ravin. Des ouvriers s'y tenaient présentement, groupés autour d'une énorme machine, si loin qu'on ne distinguait pas le moindre trait de leurs visages. L'un d'eux devait avoir des jumelles, dont les verres décochèrent un vif éclair blanc.

«Qu'est-ce qu'ils regardent ?

– Nous, pardi ! Ils nous regardent crever !

– Fumiers ! »

Dans un accès de rage, Wei fit un grand bras d'honneur, amplifié exprès pour être vu à telle distance : c'était tout son bras jusqu'à l'épaule qu'il envoya par-dessus sa tête. Il parla même d'attraper le pistolet, sûrement qu'un coup en l'air leur ficherait la trouille, à ces salauds – mais Yun le dissuada d'aggraver les choses.

« Ça ne sert à rien… On ne devrait pas rester ici. Rentrons, plutôt ! »

Avec un geste très doux, un geste de mère, madame Zhang rabattit tout le monde vers la maison. Les aînés se laissèrent docilement conduire. Hou-Chi, de toute façon, n'était plus qu'un fantôme depuis l'extinction du téléviseur. Meifen en revanche s'attarda près de son père, toujours debout dans l'ombre du sumac, son père bras croisés, jambes campées, qui défiait ceux de l'autre bord. Puis la jeune Zhang accrocha son bras et l'entraîna doucement à l'intérieur.

La maison, noire et sans chaleur, leur parut sinistre, un vrai caveau. Des araignées filaient leur toile entre les pieds des chaises, comme sur les tombes abandonnées qu'on ne vient plus fleurir. Des bougies avaient été allumées, en rang le long de la fenêtre, en cercle au milieu de la table et sur la plaque du poêle éteint, qui semblaient éclairer une veillée funèbre. Des lumignons brillaient aussi sous la photo des parents de Wei, qu'on n'avait pas osé soustraire à leur tâche vigilante. Ces visages qui émergeaient de l'ombre présidaient la réunion familiale.

Depuis peu, l'humidité avait rongé un coin de plafond par où s'égouttait la neige fondue du toit. Yun feignait de s'en réjouir : ce filet qui sinuait à l'angle de deux murs apportait l'eau fraîche qui commençait à manquer ; c'était comme un second robinet, pour remplacer celui tari du réseau municipal. Mais les autres n'y voyaient qu'un nouvel embêtement, aggravant la calamité générale.

« Le chat ? Où est le chat ? s'étonna Meifen.

– Il est parti, tiens ! Il a fichu le camp ! C'est bien connu, les rats quittent le navire…

– Peut-être qu'il reviendra ?

– Oui, et le lait remontera dans les pis de la vache…

– Qu'est-ce que tu dis ?

– Rien… Une expression de Cheng. Tiens, celui-là, il l'a jouée fine, il ne s'embête pas comme nous ! Songez qu'en ce moment, il se prélasse dans une chambre d'hôtel, avec douche chaude et tout le confort !

– Avec la télévision…, mentionna le grand-oncle qui lisait sur les lèvres.

– Ma parole, Hou-Chi, c'est tout ce qui t'intéresse ? Dans un moment pareil, tu penses à la télévision ?

– Nous n'en serions pas là, si vous l'aviez regardée.

– Ah, bon ?

– Ce qui nous arrive est arrivé à d'autres, figurez-vous… Parfaitement ! On appelle ça des maisons-clous. Des maisons qui restent plantées au milieu d'une autoroute ou d'un chantier d'immeuble, parce que leurs propriétaires refusent de s'en aller. Vous voyez, c'est la même chose ! Sauf que ces gens-là ne se laissent pas faire ! Ils ne perdent pas de temps à gémir sur leur sort et à prier les ancêtres ! Ils protestent, ils luttent, ils accrochent des banderoles aux façades des maisons !

– Ça nous fait une belle jambe, Hou-Chi ! Grâce à toi, nous savons maintenant que nous habitons une "maison-clou", achetée cent vingt-trois mille yuans à cette ordure de monsieur Fan… Les choses semblent très différentes, une fois qu'on sait ça ! »

Autre indice, ce soir-là, de pensées tourmentées, Yun délaissa la préparation de la soupe, restée à l'état de légumes entiers baignant dans l'eau froide. Cela déplut à madame Cui, qui se plaignait d'avoir tout le travail. Devait-elle encore, à son âge, cuisiner pour tout le monde ? L'obligerait-on à manier un couteau, avec sa mauvaise vue ? Quant à allumer le feu de ses doigts sinueux, non merci, elle n'avait pas envie de déclencher un incendie dans la maison. Il aurait suffi, n'est-ce pas ? que le brandon manquât la gueule du poêle, que la flamme égarée s'emparât d'un chiffon traînant par terre ou d'une boule de journal, *vouf* ! Tout le quartier, toute la ville peut-être serait réduite en cendres.

« Qu'est-ce que tu racontes ? s'énerva Wei. Du feu ? Quel feu ? Tu as vu un poêle allumé quelque part ? Ma parole, tu débloques, belle-maman !

– Au lieu d'insulter une vieille femme, tu ferais mieux de te pencher sur nos problèmes... Tu es le chef de famille, Wei, c'est à toi de trouver une solution. Eh bien, que proposes-tu ? Comment comptes-tu nous tirer d'affaire ? »

L'interpellé souleva une fesse, et le pistolet surgit dans sa main. Était-ce la réponse virile de monsieur Zhang aux alarmes de la belle-mère ? On put le croire, d'autant qu'à petits coups de crosse imprimant le bois mou de la table, Wei s'en servit pour ponctuer des phrases agressives :

« J'y réfléchis, figure-toi... Une chose est sûre : nous n'abandonnerons pas cette maison. Elle nous appartient ! Nous l'avons payée assez cher ! Sur chaque brique scellée dans ces murs, sur chaque poignée de terre dans le jardin, nous détenons un droit ferme et inaliénable ! Et l'arbre, non plus, pas question qu'ils l'abattent ! Ils devront me passer sur le corps !

– ... sur les corps de tes parents aussi, puisqu'ils dorment dessous », dit Yun.

Mais la vieille Cui ne se laissa pas démonter. Elle prit le rôle qu'elle jouait familièrement dans la maison : celui de cantinière, sentinelle austère du garde-manger.

« Des paroles en l'air, Wei ! Nous n'aurions bientôt plus rien à nous mettre sous la dent. Rien à boire, non plus. Il ne faut pas trop avaler d'eau de neige, elle donne des maux de ventre.

– Je sais, Cui, je sais !

– Dans quatre jours, la faim se fera sentir. Si, du moins, nous n'avons pas crevé de froid d'ici là ! Et alors, qu'exigeras-tu de nous ? De tenir le siège, coûte que coûte ?

– Taisez-vous ! Taisez-vous tous ! »

Le chef de famille quitta la table, le pistolet toujours au poing, et retourna s'étendre sur la pile de matelas. Il avait glissé l'arme entre ses cuisses, ses mains crispées dessus comme autour d'une bouillotte.

Mais Wei ne tenait pas en place. Un moment plus tard, on le vit sortir dans le jardin, vêtu de toutes ses vestes boutonnées ensemble, de tous ses pantalons enfilés l'un sur l'autre, sa chapka au ras des cils, et s'asseoir sur le banc adossé au sumac. Le banc était chargé de neige qu'il balaya du revers de la main, verni aussi d'une glace dure impossible à racler – de la glace que Wei, faute de mieux, laissa s'amollir et fondre sous son postérieur.

Yun l'avait regardé faire, assise derrière la fenêtre. Elle s'habilla à son tour et sortit rejoindre son mari. Wei lui fit une place sur le banc.

« Tu vas rester ici ?

– C'est bien mon intention.

– Pour quoi faire ?

– Surveiller… »

Le regard de Wei était fixe, noué à la grille du jardin comme si tenait là un fil parti de sa pupille. Que cette grille ne fermât rien, simple vestige du mur éboulé, n'entamait pas sa résolution. Ce sont les ponts déjà perdus, les forteresses déjà livrées, la dernière porte du donjon ou la dernière bannière, que les soldats défendent avec le plus d'ardeur.

Wei scrutait la grille, une fossette douloureuse entre les sourcils. Sa main gauche jouissait d'un privilège : elle avait une poche où s'enfouir. L'autre main, pouce relevé, index droit, trois doigts pliés, servait de support au pistolet.

« Si les policiers prennent d'assaut la maison, ce n'est pas avec huit balles...

– Je sais.

– Pourquoi monter la garde, alors ?

– Je n'ai rien d'autre à faire. Où est la place d'un fils quand tout est perdu, et la catastrophe inévitable ? Je réponds : près de la tombe de ses parents.

– ... mais la maison où sont sa femme et sa fille ?

– Ma chérie, je la protège plus que ma vie ! Tu peux avoir confiance, le premier dont la main pèsera sur la poignée, celui-là deviendra l'hôte de ma première balle ! »

Sur ces mots résolus, Wei laissa pourtant aller sa tête sur l'épaule de sa femme. Elle l'accueillit avec tendresse, baisa ses cheveux dont le givre plaquait les mèches au crâne, comme il couche aussi les herbes dans les champs. Un instant plus tard, monsieur Zhang se remit d'aplomb. Son poignet n'avait pas fléchi, l'arme restait pointée vers la grille.

« Que puis-je faire pour toi ? demanda Yun.

– Il faut plaindre les hommes qui vont sur Terre sans l'amour d'une femme.

– Réponds.

– Un peu de soupe, peut-être. Oui, ce serait bien. Fais-moi chauffer une soupe… S'il reste du moins de quoi la chauffer?

– Il n'y a plus de charbon, ni d'électricité. Mais il reste du bois…»

Le regard de Yun se perdit dans les branches du sumac, certaines cassées ou rongées de lichen qui n'étaient plus bonnes à rien, mais d'autres encore vaillantes dont on pourrait peut-être, à force d'insistance, tirer des étincelles.

«Ce bois-là, tout mouillé? Ça ne brûlera pas.

– On peut essayer.»

Dix jours plus tôt, l'idée d'allumer un feu avec la ramure du sumac aurait semblé une profanation autant qu'une absurdité. C'était différent, maintenant que l'arbre risquait de verser dans un ravin – l'arbre, et tout le reste : savait-on quel enlacement secret formaient ses racines avec les appuis de la maison?

Wei consentit d'un signe du menton. Yun se munit d'un couteau et procéda à l'émondage aussi doucement qu'elle put. Les branches en meilleur état étaient les plus hautes, qu'elle atteignit en escaladant. Resté sur le banc, monsieur Zhang sentait pleuvoir sur lui de petits brins de bois coupé, mèches qu'un coiffeur abrège du bout de ses ciseaux. Ce fut, au total, un petit fagot que Yun emporta dans la maison.

Un moment plus tard, elle revint pourvue d'un bol odorant.

Tout en savourant le potage, cuillerée après cuillerée, Wei contemplait sa femme, la dévisageait avec reconnaissance. La soupe était presque tiède, ce qui semblait prodigieux sous tant de froid et de neige, dans ce monde cristallin où les époux s'inséraient en couleurs vives et limpides, telles des figures de vitrail.

« Je ne pensais pas que ça finirait ainsi, Yun... J'ai eu tort.

— Ne parle pas ! Tu fais rentrer l'air froid dans tes poumons !

— Cette promesse d'acheter la maison... À quoi bon ? Regarde où ça nous mène !

— Si nous ne l'avions pas achetée, Fan nous aurait fichus dehors. Et où serions-nous, à l'heure qu'il est ? Tu as fait le bon choix.

— Pas sûr. Tout est peut-être de ma faute... Au fond, je suis un homme comme les autres ! Les hommes bâtissent des maisons, labourent des champs, ils tracent des routes et amassent des trésors. Et un jour, ils découvrent que tout cela n'est pas grand-chose, que la vraie valeur de la vie, ce sont d'autres êtres humains, une femme ou un enfant à leurs côtés... Cela, même le plus borné des hommes finit par le comprendre. Il est souvent trop tard.

— Tais-toi, et mange ! »

Il y avait dans ce commandement un accent d'autorité si délicieux, l'autorité aimante d'une mère qui protège et prend soin, qu'un sourire vint aux joues de monsieur Zhang. Ils s'embrassèrent. Ce fut le dernier baiser possible car, ensuite, la bouche de Wei perdit sa couleur et son élasticité, changée par le froid en un coriace morceau de couenne. Dans cet état, ses lèvres devinrent inaptes à manger, aussi bien qu'à proférer des paroles.

Les paumes de l'époux entourèrent le visage de sa femme, qu'il tourna vers le sien.

« Yun, je t'aime, je t'aime du fond du cœur... Il me semble que ces mots, aucun homme ne les a prononcés avant moi, avec la même ferveur. Qu'ils ont été créés pour nous seuls, à notre usage unique, et ne doivent après nous plus servir à personne... Mais à présent, laisse-moi ! Tout va bientôt finir. Je dois rester seul. »

Madame Zhang échappa doucement aux mains de son mari. Le bol vide, son fond de soupe déjà caillé par le gel, reposait bancal sur les genoux de Wei. Elle l'emporta dans la maison avec sa cuillère. Peu après, son visage soucieux entra dans un carreau de la fenêtre.

Impossible de s'avachir par ce froid : Wei tenait ses jambes collées, ses bras autour de ses genoux, arrondissant le dos contre la bise qui soufflait du nord et détachait de fins plumeaux de neige du toit de la maison. La neige aussi tombait sur lui, le blanchissait par petits points qui se reliaient peu à peu en un tissu duveteux. Plus rien de vivant dans cette statue humaine – sauf le panache de vapeur qui nimbait par moments son visage et d'autres bouffées, bleuâtres, montées des cigarettes qu'il fumait jusqu'au bout.

De temps à autre, le veilleur dégourdissait la main au pistolet en bougeant les doigts, parfois il soufflait dans ses gants pour les réchauffer ; petite gymnastique que venaient compléter, à intervalles plus longs, des moulinets des bras ou des jambes pour activer son sang épaissi.

Tout l'après-midi, Wei pointa l'arme vers la grille, avec la fixité d'un épouvantail gardant un champ de fèves.

Le soleil hivernal n'avait guère monté sur l'horizon et, dès quinze heures, il entama un rapide déclin. Il accrocha bientôt les grues qui hérissaient les bords du fossé. Les grues étaient une dizaine, de tailles inégales mais de profils également acérés, dardant leurs lames et leurs aiguilles dans l'air rouge. En quelques minutes, le soleil plongea dans leur cage d'acier et s'y trouva enfermé. Faible et palpitant, on aurait dit une boule de laine aux griffes d'un barbelé.

Une grue dominait toutes les autres, par sa hauteur et son déploiement. Elle était de portée à couvrir un bon tiers du fossé et peut-être était-ce sa fonction, de distribuer des charges n'importe où sur cette vaste étendue. Wei avait le soleil dans les yeux et ne releva pas aussitôt que l'angle de la flèche à la tour, de la traverse au montant de la machine, se réduisait sensiblement. Mais il entendit le bourdonnement du moteur. Il comprit : la grue était en mouvement.

Oui, la grue s'animait, vérifia-t-il, la main en visière sur les sourcils. Elle pivotait avec lenteur ; cette grande croix écarlate tracée sur le ciel se ramassait peu à peu, repliait ses branches pour devenir poignard, planté au firmament. S'il la voyait ainsi, songea Wei, c'est qu'elle pointait vers lui. Les grues agissaient rarement au crépuscule et celle-ci, la plus imposante, ne travaillait qu'en journée. Pareille activité, à cette heure, avait quelque chose d'anormal.

Monsieur Zhang se mit debout avec tant d'élan que le pistolet lui échappa et glissa sur le banc. Avec d'horribles jurons, il se pencha pour le ramasser. Le temps qu'il reprît l'arme en main (ses doigts étaient si gourds qu'il dut les déplier, puis les replier un à un sur la crosse), la grue avait engagé une nouvelle manœuvre : le chariot avait roulé le long de la flèche, droit dans sa direction. En même temps, le câble de levage avait joué dans la poulie, et le crochet au bout – non, pas un crochet mais un genre de benne dont émergeaient plusieurs silhouettes humaines était descendu jusqu'au niveau de la maison.

Sa main se crispa nerveusement sur le pistolet. De l'épaule aux dernières phalanges, tous ses muscles connurent un raidissement douloureux. Il manqua lâcher l'arme encore une fois, mais Wei serra les mâchoires et s'adossa au sumac, écrasant son dos contre l'écorce glacée. Son bras blessé lui faisait mal, pourtant il l'obligea à servir l'autre, qui portait le pistolet. Tout allait vite, trop vite au goût de Wei. La benne avait déjà accosté leur petite colline et débarqué cinq hommes, dont des visages de connaissance : son ami Cheng et l'ingénieur du Comité de valorisation.

L'index se contracta sur la détente de l'arme, sans déclencher de tir. Il essaya encore : non. Toutes ses forces se ramassaient sur ce petit jeu d'une seule phalange, mais la gâchette refusait de plier.

Wei crut à une défaillance mécanique, à un ressort gelé, merde, merde, que savait-il du fonctionnement d'un pistolet ? est-ce que la glace pouvait boucher le canon ? est-ce que le froid pouvait l'enrayer ? D'ailleurs, son cerveau n'arrivait pas à choisir qui, de Cheng, de l'ingénieur ou des trois lascars à la tournure de policiers, ses balles perceraient le premier.

L'ancien cheminot dut sentir son trouble, car il s'avança droit sur Wei et saisit le canon du poing, comme on attrape le museau d'un chien mordeur. L'homme était fort, en un instant le pistolet changea de main.

« Tu me prends pour un idiot, Wei ? Tu crois que je t'aurais laissé une arme en état de marche ? Et le cran de sûreté ? Tu savais qu'il y avait un cran de sûreté ? »

Cheng portait une chapka toute neuve, dont les ailes s'incurvèrent sous la pression de joues souriantes.

« Allez, ouste ! Confisqué ! »

Stupéfait, Wei vit son arme jaillir obliquement des

doigts de l'ancien cheminot. Elle virevolta dans les airs et s'aplatit avec un floc au tréfonds du fossé. Entre-temps, Cheng avait sorti une enveloppe chiffonnée qu'il lissa plusieurs fois entre le pouce et l'index, avant de la remettre à son ami.

« Bon, je ne sais pas trop comment te dire ça… En deux mots, le terbium ne les intéresse plus. Une grande mine a repris du service en Australie, qui en produit des tonnes. Alors, le cours du minerai baisse et ça ne vaut plus le coup de creuser sous ta maison. Pas pour l'instant, en tout cas. C'est ce que j'ai compris… »

Cheng avança les lèvres comme s'il voulait goûter, sans risque, ce qu'une cuillère brûlante contiendrait d'une sauce très épicée.

« Bien sûr, c'est embêtant… Le trou, tout ça… Mais sois tranquille, ils vont reboucher. L'eau va être rétablie, et l'électricité. Ce sera branché dans la semaine. Tu peux garder le radiateur et la bouilloire, à titre de dédommagement… On t'a promis aussi une porte neuve ! Ah, ah ! »

Une grande tape claqua sur l'omoplate de monsieur Zhang. Il sentit ses vertèbres répercuter longuement la vibration. Le frisson descendit jusqu'à ses jambes et parut se perdre dans l'épaisseur du sol.

« Je sais que tu as eu des embrouilles avec monsieur Fan… Ça aussi, c'est réglé. L'un des actionnaires de la mine de terbium le connaît bien, il va lui dire un mot à ton sujet. Tu vois, tout finit par s'arranger ! Alors, pas besoin d'en parler aux journaux, hum ? Ni aux journaux ni à personne ? Tu t'attirerais des ennuis en pagaille, et tu n'as pas besoin de ça ! Je me trompe ? »

Depuis un moment, l'ancien cheminot mâchouillait une cigarette éteinte. Il la jeta enfin et l'aplatit sous sa semelle. Aussitôt, Cheng sortit un paquet neuf où il préleva trois rouleaux de tabac, un pour lui et deux pour Wei.

« Eh bien, tu ne dis rien ? Je comprends... Toutes ces nouvelles, ça fiche un coup, pas vrai ? Mais c'est la vie, Wei ! Les temps changent, on doit s'adapter ! Regarde mes camarades, ici avec moi... Des anciens collègues des chemins de fer, maintenant salariés du Comité de valorisation. Sauf ces deux-là, avec leur casquette fleurie, affectés au service des espaces verts de la ville de Shenyang. Les espaces verts, tu sais ce que c'est ? Bon, ça n'a rien d'urgent, mais ton arbre, là, il faudra l'abattre... Ces vieux machins, ça attire les bestioles et ça porte des tas de maladies. Et puis, tu conviendras que c'est très moche ! Ah, ah, ah ! Allez, sans rancune, vieux frère... »

Wei reçut la main carrée de l'ancien cheminot, puis les autres passagers de la benne l'empoignèrent à leur tour. L'ouvrier glissa un regard de côté, vers la fenêtre dont l'approche de la nuit bleuissait les bordures. Il reconnut Hou-Chi près de sa femme, les deux visages au centre d'un cercle de buée qui grandissait.

De l'autre côté de la vitre, le grand-oncle suivait la scène, avec la même attention qu'il portait naguère aux programmes télévisés. Il gardait une bonne vue malgré l'abus d'images artificielles et, même à cette distance, pouvait lire sur les lèvres. Ayant pour la deuxième fois instillé du collyre dans ses yeux secs, sans cesser d'essuyer la buée qui blanchissait le verre, le vieillard mâchonna d'un air rêveur :

« Le sumac… Ils veulent le couper.

– Encore ?

– Encore, Yun… Mais rassure-toi : ils n'arriveront à rien ! Bien des fois, des haches ont convoité notre arbre, des tronçonneuses ont grondé à l'entour ! On a voulu le brûler, de méchantes gens l'ont aspergé d'essence… Et tu vois, le sumac est toujours debout ! Ce sont des imbéciles… Ils voient les branches au-dessus du sol, ils ne voient pas les racines en dessous. Rappelle-toi, ma chérie : c'est par les racines qu'on tient, c'est à travers elles qu'on dure et qu'on endure… Celui qui les a poussées loin, jamais ne sera arraché ! »

Hou-Chi poussa un soupir. Comme tous les jours à cette heure, il s'étira, canne en l'air, et pria sa petite-fille d'apporter la chaise qu'il occuperait jusqu'au dîner. Il fallait placer le siège à bonne distance du téléviseur, battre un peu le coussin (motif de bœufs au labour) qui perdait par un coin des plumes volubiles.

La suite était immuable. Du bord usé du fauteuil, toujours du même côté, le vieillard arrachait une pointe de plastique dont il faisait un cure-dent. Il se mouchait avec application, une narine après l'autre, avec des effets cuivrés de trompette, se moquant bien des protestations dégoûtées de son entourage.

Mais parfois Hou-Chi n'avait aucun besoin à assouvir, pas d'inconfort à soulager. Alors, les bras sur les accoudoirs, tous les muscles au repos (ceux aussi de la mâchoire qu'il laissait pendre indécemment, deux bulles de bave s'arrondissant aux coins des lèvres), le retraité jouissait d'une félicité parfaite ; une béatitude, disait-il, comme n'en connaissent point ses congénères et dont la jeunesse de ce temps se montrait incapable.

Ainsi fit-il, ce soir-là. Son humeur était légère et ses jambes étales. Il ne se sentait aucune volonté d'infléchir le cours du monde ni de dévier, si peu que ce fût, les flocons en multitude qui tachaient de blanc la fenêtre. Quand Wei passa la porte, ou plutôt repoussa la bâche qui couvrait provisoirement l'entrée, Hou-Chi salua son gendre d'un signe de la main. Il le complimenta sur son courage, tous les hommes n'étaient pas de trempe à défendre leur maison l'arme au poing, d'autant moins avec un pistolet hors d'usage.

« En somme, tout est bien… », sourit le vieillard, dont la tête tranquillement roula sur l'épaule.

Telle fut la belle mort de l'oncle Hou-Chi.

DU MÊME AUTEUR

Aux Éditions Albin Michel

LE MAÎTRE DE CAFÉ, roman, Grand Prix de la SGDL, 2012.

CONCERTO POUR LA MAIN MORTE, roman, 2013.

Chez d'autres éditeurs

L'ÎLE, conte, J. Grancher, 1993.

LE PRINCE DE LA FOURCHETTE, roman, Arléa, 1995.

MADAGASCAR, PREMIERS PAS AU PAYS D'ARGILE, récit de voyage, Fer de Chances, 1999.

PASTEL, roman, Gallimard, 2000.

LE VOYAGE, essai, Desclée de Brouwer, 2002.

LE FANTÔME DE LA TOUR EIFFEL, roman, Gallimard, 2002.

L'ÉPÎTRE À LOTI, biographie, L'Escampette, 2003.

JULES VERNE, biographie, Nouveau Monde, 2004.

L'ENFANCE DE CROIRE, récit, Gallimard, 2004.

À L'HEURE !, essai, Virgile, coll. «Suite de sites», 2005.

LE JARDINIER D'ASSISE, roman, Desclée de Brouwer, 2005.

SEMPER AUGUSTUS, roman, Gallimard, 2007.

LE PLAFOND DE VERRE, essai, Desclée de Brouwer, 2009.

LE COLONEL DÉSACCORDÉ, roman, Gallimard, 2009.

VOYAGE EN FRANCOPHONIE, UNE LANGUE AUTOUR DU MONDE, essai, Autrement, 2010.

CANISSE, récit d'anticipation, Gallimard, 2010.

HAUT VOL, roman, Gallimard, 2014.

Bandes dessinées, ouvrages illustrés

CHAMBRES NOIRES, TOME I : ESPRIT, ES-TU LÀ ? en collaboration avec le dessinateur Yomgui Dumont, Vents d'Ouest, 2010.

PILORI, en collaboration avec le dessinateur Benjamin Bozonnet, Elytis, 2010.

CHAMBRES NOIRES, TOME II : CHASSE A L'ÂME, en collaboration avec le dessinateur Yomgui Dumont, Vents d'Ouest, 2011.

CHAMBRES NOIRES, TOME III : REQUIEM EN SOUS-SOL, en collaboration avec le dessinateur Yomgui Dumont, Vents d'Ouest, 2012.

GOYA, en collaboration avec le dessinateur Benjamin Bozonnet, Glénat, 2015.

TOULOUSE-LAUTREC, en collaboration avec le dessinateur Yomgui Dumont, Glénat, 2015.

Composition IGS-CP
Impression CPI Bussière en mai 2015
Éditions Albin Michel
22, rue Huyghens, 75014 Paris
www.albin-michel.fr
ISBN : 978-2-226-31815-2
N° d'édition : 21291/01 – N° d'impression : 2015885
Dépôt légal : août 2015
Imprimé en France